MARIA BARBAL | Wie ein Stein im Geröll

MARIA BARBAL

Wie ein Stein im Geröll

Roman

Aus dem Katalanischen übersetzt
von Heike Nottebaum

Mit einem Nachwort von Pere Joan Tous

FSC
Mix
Produktgruppe aus vorbildlich
bewirtschafteten Wäldern und
anderen kontrollierten Herkünften

Zert.-Nr.SGS-COC-1940
www.fsc.org
© 1996 Forest Stewardship Council

Verlagsgruppe Random House
FSC-DEU-0100
Das für dieses Buch verwendete
FSC-zertifizierte Papier *Holmen Book Cream*
liefert Holmen Paper, Hallstavik, Schweden.

Taschenbucherstausgabe 10/2008
Copyright © für die Originalausgabe: Maria Barbal
Copyright © 2007 für die deutsche Übersetzung:
: TRANSIT Buchverlag, Gneisenaustraße 2, 10961 Berlin
LLLL institut
ramon llull
Die Übersetzung dieses Werkes wurde aus Mitteln
des Instituts Ramon Llull, Barcelona, gefördert.
Copyright © dieser Ausgabe 2008 by Diana Verlag, München,
in der Verlagsgruppe Random House GmbH
Umschlaggestaltung | Hauptmann & Kompanie Werbeagentur,
München – Zürich, Teresa Mutzenbach,
unter Verwendung des Umschlags der Originalausgabe des
: TRANSIT Buchverlages, gestaltet von Gudrun Fröba
Herstellung | Helga Schörnig
Satz | C. Schaber Datentechnik, Wels
Druck und Bindung | GGP Media GmbH, Pößneck
Printed in Germany 2008

978-3-453-35246-9

http://www.diana-verlag.de

MEINEN ELTERN

Erster Teil

Man sah gleich, daß wir bei uns daheim viele waren. Und eine schien man entbehren zu können. Ich war die fünfte von sechs Geschwistern, und auf die Welt bin ich gekommen, wie die Mutter sagte, weil Gott es so gewollt hat, und was Er einem gibt, muß man annehmen. Maria, das war die Älteste, kümmerte sich schon mehr um den Haushalt als die Mutter selbst, Josep, der Erstgeborene, würde einmal alles erben, und Joan ging aufs Priesterseminar. Von uns drei anderen, den Kleinen, habe ich oftmals sagen hören, wir würden mehr Arbeit als Freude machen. Rosige Zeiten waren das nicht. Es gab so viele Münder zu stopfen, und wir hatten so wenig, natürlich reichte es da nie. Aus diesem Grund wurde beschlossen, daß ich, die ich einen folgsamen Charakter hatte und schon sehr vernünftig war, von zu Hause fort sollte, um der Tante zu helfen, Mutters Schwester, die bereits die Hoffnung aufgegeben hatte, eigene Kinder zu bekommen. An Arbeit aber mangelte es ihr nicht. Sie war mit einem sehr viel älteren Mann verheiratet, der Land besaß, mindestens ein halbes Dutzend Kühe, dazu Geflügel und Kaninchen und sogar einen Gemüsegarten. Es fehlte ihnen an nichts, aber sie fühlten, daß sie langsam älter wurden, und sie hatten niemanden, der ihnen zur Hand ging und Gesellschaft leistete. So verließ ich mit dreizehn Jahren, ein Bündel unter dem Arm, Maria auf der einen und den Vater auf der anderen Seite, Familie, Elternhaus, Dorf und Berge. Von Ermita bis Pallarès sind es nur ein paar Kilometer, doch zu Fuß brauchte man dafür einen ganzen Tag, und das bedeutete, ich verlor mein Zuhause. Ich kehrte ihm den Rücken zu, und in diesem Augenblick, auf dem Weg hinunter, tat das mehr weh als alles andere, denn die einzige Welt, die ich bis dahin gekannt hatte, einfach alles, blieb hinter mir zurück.

Auf dem stundenlangen, schweigsamen Fußmarsch zum Markt von Monsent, wo Vater und Maria die Einkäufe erledigen und mich Onkel und Tante übergeben sollten, fielen mir bloß die schönen Dinge ein, die ich in meinem Dorf erlebt hatte. Verlassen hatte ich es nur, um das Vieh auf die Gebirgsweiden zu treiben oder um mich heimlich zum Patronatsfest zu schleichen, ins Nachbardorf, das gerade mal aus vier Häusern bestand. So viele Menschen, und die Erde gab so wenig her.

Ich erinnere mich noch gut an die drei Winter, die ich zur Schule gegangen bin. Ich war wohl eines der wenigen Mädchen, die etwas hatten lernen dürfen, denn daheim gab es ja schon größere Kinder, die zur Arbeit taugten. Was für ein Glück, zu den Kleinen zu gehören! Die Lehrerin brachte uns diese merkwürdig geschwungene Schönschrift bei, wo das Ende eines jeden Buchstabens nach oben zeigte und das r links einen Buckel hatte, so daß ich immer an einen Korkenzieher denken mußte. In der Schule war es schön warm, denn obwohl Fräulein Paquita wußte, daß es bei uns allen zu Hause recht knapp zuging, verlangte sie jede Woche einen ordentlichen Vorrat an Brennholz, um den Klassenraum zu heizen. Das ABC könne man sich schließlich nur einprägen, wenn man es auch ein bißchen warm habe, und wenn unsere Eltern wollten, daß wir etwas lernten, müßten sie »ihren guten Willen schon unter Beweis stellen«, wie sie auf Spanisch sagte. Auf Spanisch habe ich auch das Wenige gelernt, das ich weiß, selbst wenn ich später fast alles wieder vergessen habe. Die ersten Tage konnte ich es gar nicht fassen, daß das Fräulein Lehrerin, von der niemand so genau wußte, woher sie eigentlich kam, sich nicht verständlich machen konnte, wenn sie mit uns sprach. Schließlich haben wir sie aber doch verstanden, und auch sie konnte uns folgen, wenn wir etwas sagten. Ich weiß nur nicht, warum sie so tat, als ob sie sich schämen würde oder ihr das Ganze nicht recht sei. An diese Winter in der Schule erinnere ich mich, als wäre es erst gestern gewesen. Magdalena und ich setzten uns immer nebeneinander, und wenn wir etwas vorlesen sollten, mußte ich vor Lachen losprusten, und Magdalena hörte auf zu lesen. Dann schob sich Fräulein Paquita ihre Brille auf die Nase und schaute uns an, wie ein Feldwebel so streng, und ich bekam dann diese Bauchschmerzen, weil ich versuchte, mir das Lachen zu verkneifen, und Magdalena las weiter, und ich merkte, wie mir etwas Pipi in den Schlüpfer lief.

Ich bin gerne zur Schule gegangen. Das war etwas Besonderes und gab mir das Gefühl, daß es auch etwas Gutes hatte, ein Kind zu sein. Daheim schien man immer zu stören. Wenn wir in der Scheune spielten, hieß es, wir Kinder würden alles durcheinanderbringen. Stocherten wir mit dem Schürhaken zwischen den Töpfen auf dem Herd herum, wurden wir fürchterlich gescholten, und alle sprachen von irgendeinem Unglück, und wenn wir einen Stein oder ein Stück Holz zum Spielen nahmen, wurden wir geschimpft, wir hätten bloß Unsinn im Kopf. Nur wenn wir beim Melken geholfen haben, beim Kartoffelschälen, beim Brennholzholen, dann waren wir auf der sicheren Seite. Doch mußtest du dafür schon größer sein. Und eine Scheibe gebratenen Speck oder ein Schluck Wein aus dem *porró* hast du dann trotzdem nicht bekommen, denn dafür warst du ja noch zu klein.

Vom Küchenfenster sah das Dach der Sarals aus wie ein großer Glockenturm, und die Dachziegel glänzten wie kleine Spiegel. Es hatte aufgehört zu regnen, und während Mutter ein grobes Leinentuch mit Asche bestreute, um die Lauge vorzubereiten, fielen einige Regentropfen von unserem Dach und zerplatzten auf der Fensterscheibe. Ich schaute zu, wie sich Rinnsale bildeten, und hörte, wie die Mutter mit derselben Geschichte noch einmal von vorne anfing. Die Tante hätte ja so gerne ein Mädchen wie dich gehabt, doch Gott hat ihr keins geben wollen. Und du siehst ihr viel ähnlicher als Maria oder Nuri. Vor allem das rötliche Haar, und du wirst es nicht glauben, aber die Tante war die Hübscheste von uns vier Schwestern, und deshalb hat sie so eine gute Partie gemacht. Auch unsere Augen würden sich ähneln, das sind die Augen deiner Großmutter, möge sie in Frieden ruhen, und die hat sie auch Tante Encarnació vererbt.

Aber das war es nicht allein, sie brauchten einfach jemanden. Mutters Hände schichteten das Brennholz, um das Feuer anzuzünden. Und da sei es doch am besten, jemand aus der Familie habe einen Nutzen von all den Gottesgaben …

Ich brachte kein Wort heraus und hätte doch so gerne etwas gesagt, aber als die Mutter mit einem Mal schwieg, spürte ich einen Knoten im Hals wie eine Schlinge, an deren beiden Enden gleichzeitig gezogen wird. Es fing an, weh zu tun, und dieser Schmerz ließ erst nach, als ich tief aufschluchzte. Da löste sich der Knoten wieder, und ein Sturzbach von Tränen brach aus mir hervor, und ich war so zornig, denn zu weinen war das letzte, was ich in diesem Augenblick wollte.

Zu sagen gab es nicht viel. Ich wußte, wenn Mutter an einem Morgen ganz ruhig ihrer Hausarbeit nachging und sich die Zeit nahm, mit mir zu reden, so ganz ohne Eile, ohne mich immer wieder zu unterbrechen mit »mach dies«, »hast du das schon erledigt?« oder damit, daß wir noch irgend etwas holen müßten, dann war das ein ganz besonders feierlicher Augenblick. Und solche feierlichen Augenblicke gab es bei uns nicht viele. Mutter zog ihr Taschentuch hervor und verlor sich in Erklärungen, die ebenfalls in Tränen endeten. Und so ballte sich das weiße Stück Baumwollstoff, erst durch meine und dann durch ihre Tränen, zu einem kleinen Klumpen, der nach und nach eine blaugraue Farbe annahm. Dann war es auf einmal still. Ich senkte die Augen, und in der

Wärme, die sich langsam vom Feuer auszubreiten begann, wurde mir der Kopf ganz schwer, und es überkam mich eine große Müdigkeit.

Als ich Mutter dann wieder reden hörte, tat sie das wohl schon eine ganze Weile, und ich merkte, wenn ich ihr weiter zuhörte, würde sich meine Kehle noch einmal zuschnüren. Und bevor das geschehen konnte, sagte ich kaum hörbar, daß ich ja bei Tante Encarnació leben wollte und wann sie mich denn holen kämen. Am Montag gehen sie zum Markt, und Vater und Maria werden dich dorthin begleiten.

Meine Mutter war eine Frau, die nur zwei Dinge kannte: arbeiten und sparen. Maria erzählte, daß sie bei der Geburt von Pere, unserem jüngsten Bruder, beinahe gestorben wäre. Das war ein Montag, doch schon am Freitag, wo noch nicht einmal eine Woche vergangen war, konnte keiner sie mehr dazu bringen, im Bett zu bleiben. Mit meinen dreizehn Jahren erinnerte ich mich nicht daran, jemals gesehen zu haben, daß sie auch nur einen Augenblick lang die Hände in den Schoß gelegt hätte, außer am Sonntag, in der Messe, wo sie auf der Bank vor mir saß.

Wenn wir morgens aufstanden, war sie schon eine ganze Weile bei der Hausarbeit oder mit dem Vater und Josep aufs Feld gegangen. Und wenn wir abends zum Schlafen hinaufgingen, nutzte sie noch die Zeit, um das Frühstück für den nächsten Morgen vorzubereiten oder um aufzuräumen. Und manchmal, weil sie daran gewöhnt war, als letzte von uns ins Bett zu gehen, betete sie noch den Rosenkranz. Doch so fromm sie auch war, ich bin mir sicher, daß sie noch nicht einmal bis zum fünften Ave Maria kam, denn bestimmt hatte sie bis dahin längst der Schlaf überwältigt, wie einen kleinen Vogel, der reglos in der Falle sitzt.

Natürlich liebte sie uns alle, aber das zeigte sie so gut wie nie. Für solche Sachen hatte sie keine Zeit, sagte sie, da gab es doch viel Wichtigeres zu tun. Mußestunden kannte sie nicht, denn sie war davon überzeugt, daß ihr so etwas nicht zustand, und als sie ihr im Alter schließlich doch zukamen, zerrannen sie ihr Tag für Tag zwischen den Händen. Ich glaube, sie wollte lieber sterben, als sich zu Lebzeiten auszuruhen.

Und Arbeit gab es ja auch genug: das Vieh, das Land und mindestens sieben bis acht Leute um den Tisch. Alle halfen wir mit, aber Mutter legte sich am meisten ins Zeug, damit wir vorankamen. Die Frau ist die Seele des Hauses, sagte sie.

Vater war umgänglicher, manchmal gab er allerdings ziemlich grobe Sachen von sich, solche, die einem etwas weh taten, wenn man später noch mal in Ruhe darüber nachdachte. Doch dann war er oft auch sehr lieb, setzte uns auf seine Knie und erzählte uns eine Geschichte, besonders im Winter, wenn wir alle am Feuer saßen, nach dem Abendessen, das aus Kohl und Kartoffeln bestand und manchmal auch aus einer Scheibe gebratenen Speck. Ich erinnere mich noch, wie wir über die Geschichte von dem Alten aus Montenar lachen mußten, der eines

Nachts aus einem Haus eine Unterhose mitgenommen hatte. Die lag in der Nähe des Kaminfeuers zum Trocknen über einer Bank, und auf die setzte sich der Mann, weil er sich aufwärmen wollte, und als er dann wieder aufstand, blieb die Unterhose an seinen Kleidern hängen. Erst auf halbem Weg nach Hause, inmitten dieser eiskalten Nacht, entdeckte er plötzlich, wie sie unter seiner Jacke hervorlugte und um sein Hinterteil schlotterte. Ganz erschrocken blieb er da stehen, denn er wußte nicht, was schlimmer war, für einen Dieb gehalten zu werden oder in der eisigen Kälte wie ein Vogel zu erstarren, wenn er den ganzen Weg noch einmal zurückgehen müßte.

Doch auf dem Land sind es gewöhnlich nicht die Männer, die am schlechtesten dran sind, und während Vater uns mit seinen Geschichten verzauberte, stopfte Mutter im Schein des Feuers noch ein paar Strümpfe, die immer wieder an derselben Stelle durchlöchert waren.

Die Tante war stolz und selbstsicher, dabei ebenso sparsam und fleißig wie die Mutter. Sie hatte aber ein recht aufbrausendes Wesen und war es gewohnt, alles zu bestimmen, konnte sie doch in ihrem eigenen Haus auch ganz nach Belieben schalten und walten.

Wie ich mich so hinter dem Maultier herstolpern sah, fast im Laufschritt, denn das Tier witterte jemand Fremdes und wollte immer wieder Reißaus nehmen, da hätte ich am liebsten kehrtgemacht, die Beine unter den Arm genommen und ab nach Hause … Meine Augen füllten sich mit Tränen, aber mehr ließ ich nicht zu, denn als ich merkte, daß ich gleich weinen würde, atmete ich tief durch und schluckte die Tränen runter. Die aufrechte Gestalt des Onkels dort oben auf dem Maultier schüchterte mich ein. Nicht einen Seufzer sollte er von mir hören. Immer wieder sagte ich mir, daß sie mir ja einen Gefallen taten, und ich half meinen Leuten daheim. Jeden Tag ein Stück Brot weniger und … Der Onkel hatte mir mein Bündel abgenommen und es vor sich auf den Hals des Tieres gelegt. Irgendetwas schien ihn zu beschäftigen, und bislang hatte er kaum ein Wort mit mir gesprochen. Ich traute mich deshalb nicht, ihm zu sagen, daß ich mir in meinen Leinenschuhen die Füße wundgelaufen hatte. Die Schuhe waren neu, und eigentlich gehörten sie

Maria. Sie hatte sie mir geschenkt, als ich von daheim fortging, um mir eine Freude zu machen, doch die Schuhe waren mir zu groß. Ich spürte das Scheuern an den Füßen wie ein unglaublich schmerzhaftes Jucken. So schnell wie möglich wollte ich in Pallarès ankommen, damit diese Qual endlich ein Ende hätte. Der Schwanz des Maultiers schaukelte im Takt hin und her. Sobald sich Fliegen darauf setzten, warf es den Schwanz in die Höhe, wirbelte ihn einmal herum und ließ ihn dann wieder fallen, und so ging es in einem fort. Als ich schon nicht mehr daran glaubte, daß wir jemals ankommen würden, hörte ich den Onkel sagen: Wir sind da. Zum ersten Mal an diesem Tag stieg eine große Freude in mir auf, und daran merkte ich, wie schwer mir die ganze Zeit ums Herz gewesen war. Wie dumm von mir, als ob sie mich zum Markt gebracht hätten, um mich dort wie irgendeine Kuh zu verkaufen. Aber eigentlich ging es ja auch gar nicht darum. Ich wollte nur die Tante umarmen, die nicht mit nach Monsent gekommen war. Sie war Mutters Schwester, und mit dem Onkel hatte ich doch nichts zu schaffen.

Ich weiß nicht, warum ich dachte, sie würden außerhalb der Ortschaft leben. Daß ich mich geirrt hatte, merkte ich, als der Onkel zwischen den Häusern einen Weg einschlug, der geradewegs zum Dorfplatz führte. Ich spürte, wie meine Wangen glühten, als die Leute den Onkel grüßten und mich dabei anschauten. Schließlich blieben wir vor meinem neuen Zuhause stehen, und der Onkel stieg vom Maultier ab. Die Frauen, die inmitten schreiender Kinder einen Schwatz gehalten hatten, hörten mit einem Mal auf zu reden, und alle kamen sie näher, um mich anzuschauen und den Onkel auszufragen.

Ramon, was für ein hübsches Mädchen hast du da vom Markt mitgebracht. Wir hätten nicht gedacht, daß du so einen guten Geschmack hast … Das ist die Nichte aus Ermita, die wird den Winter bei uns verbringen.

Ich wußte nicht, wohin ich schauen sollte. Alle Augen waren auf mich gerichtet, und wie ich so still dastand, spürte ich, daß ich mich kaum noch auf den Beinen halten konnte und der Schweiß mir die Oberschenkel wundgescheuert hatte. Im Kopf war mir ganz schwindelig vor lauter Nachdenken, und weil sich alle Gedanken im Kreis drehten. Da kam mir die Tante zur Hilfe. Sie schob die Neugierigen einfach beiseite und nahm mich ganz fest in ihre Arme. Und am Ende brach ich doch in Tränen aus, denn diese liebevolle Geste hatte die ganze Mauer aus Rechtfertigungen, die ich gegen die Traurigkeit errichtet hatte, in einem einzigen, unerwarteten Augenblick zum Einsturz gebracht. Die Tante faßte mich um die Taille und hob mich dabei fast vom Boden hoch, wich den Leuten aus und brachte mich die Treppe hinauf ins Haus.

Erst in der Küche sagte sie etwas zu mir. Wir waren durch einen langen und dunklen Flur gekommen, und als ich dann auf der Bank saß, hörte ich sie fragen: Warum weinst du denn?

Das Haus von Onkel und Tante war sehr groß, fast so groß wie das der Eltern in Ermita. Früher einmal war es dort sicher sehr lebhaft zugegangen, und bestimmt hatten viele Menschen in dem Haus gewohnt, denn außer dem Erdgeschoß gab es noch zwei Stockwerke und unter dem Dach einen Speicher.

Stall und Tenne nahmen den gesamten unteren Teil des Hauses ein, das unmittelbar an den Dorfplatz grenzte, und auf den gelangte man durch ein großes Tor. Seitlich davon führte eine Außentreppe hoch in den ersten Stock, der aber bloß aus einer kleinen Diele bestand, und von dort aus ging gleich wieder eine Treppe ins nächste Stockwerk. Auf der rechten Seite der Diele zweigte dann noch ein schmaler und verwinkelter Gang ab, der zu einem verschlossenen Zimmer führte und zu einem großen offenen Raum, in dem vor allem die Feuerstelle auf dem Boden mit ihrem rußgeschwärzten Kamin ins Auge fiel, dann noch ein kleiner Spülstein und ein langer Tisch mit einer Bank auf jeder Seite. Von diesem Raum aus konnte man in den Vorratskeller hinuntergehen, der einen winzigen Teil des Kuhstalls in Beschlag nahm. Im verschlossenen Zimmer befand sich schließlich die gute Stube, die aber nur zu besonders festlichen Gelegenheiten benutzt wurde.

Hinter dem Raum, der als Küche diente und in dem auch gegessen wurde, lag der Heuschober. Er hatte Bodenklappen, durch die man das Heu gleich in die Futtertröge für das Vieh fallen lassen konnte. Besser, man wußte ganz genau, wo sich diese Fallklappen befanden, denn du konntest schon einen gehörigen Schreck bekommen, wenn du plötzlich mit einem Bein weggesackt bist, manchmal sogar bis fast auf die Kopfhöhe einer Kuh. Neben dem Heuschober gab es einen Käfig, der sah aus wie ein richtiges kleines Haus. Das war der Kaninchenstall. Als ob sie in Freiheit wären, sprangen dort ein halbes Dutzend kleiner Kaninchen herum und das Muttertier. Wenn ich ihnen ihr Futter brachte, mußte ich nur ein wenig den Kopf einziehen, denn drinnen konnte ich fast aufrecht stehen.

Im zweiten Stockwerk waren vier Schlafzimmer, jedes mit einem großen Eisenbett und einer Schüssel samt Krug als Waschgelegenheit. In den beiden größeren gab es außerdem ein Fenster und einen kleinen Kastenschrank, der in die Wand eingelassen war. Von diesem zweiten Stockwerk führte eine Stiege hoch zum Speicher, auf dem etwas recht Merkwürdiges geschah. Man befand sich dort zwar an der höchsten Stelle im ganzen Haus, doch der Fluß schien zum Greifen nah. Es gab ein kleines Fenster, ziemlich hoch, und wenn man sich hinauslehnte, hörte man das Rauschen des Wassers und konnte meinen, man stünde daneben, in Wirklichkeit aber war da ein schrecklich tiefer Abgrund.

Vom ersten Tag an war der Speicher einer meiner Lieblingsplätze im ganzen Haus. Getreidesiebe lagen dort herum, Körbe, ein paar Werkzeuge, und eines Tages entdeckte ich sogar eine Truhe mit Kleidern aus der Zeit, als die Tante noch jung war, aber vielleicht waren die Sachen ja noch älter und stammten aus der Familie des Onkels. Sie waren verknittert und abgetragen, doch wenn ich etwas vom Speicher holen sollte, konnte ich einfach nicht widerstehen und öffnete jedes Mal die Truhe und zog über meine Schürze eins dieser Kleider, die mich von fernen Zeiten träumen ließen. Manchmal war ich in Versuchung, der Tante davon zu erzählen, vielleicht würde sie mir ja eins umändern, aber ich traute mich nicht, denn dann käme ja heraus, daß ich meine Nase in etwas gesteckt hatte, was mich nichts anging, und schon allein der Gedanke daran ließ mich rot werden.

Die Wiese von Tres Aigües, die von den drei Gewässern, mochte ich am liebsten. Auf der einen Seite schlängelte sich der kleine Gebirgsbach von Arlet hindurch, der kurz darauf in den Fluß mündete. Der Fluß Orri selbst verlief am unteren Teil der Wiese, und die Bewässerungsrinne der Quelle von Torna bildete die obere Grenzlinie. Das Gras dort wuchs kräftig und hoch, und es war die einzige Wiese, die dreimal gemäht werden konnte. Zwei Trockenschnitte gab es noch nach der ersten Mahd. Die Wiese war nicht sehr groß, und wenn wir dort arbeiteten, konnten wir einander immer sehen. Darum mochte ich sie auch besonders gern, denn auf den beiden Wiesen von Costa Varada sah man ganz plötzlich niemanden mehr. Du wußtest wohl, daß die anderen hinter der Anhöhe waren oder hinter der Hecke aus Haselnußsträuchern, doch mit einem Mal überkam mich dort das Gefühl, völlig allein zu sein, und dann mußte ich an die Geschichten von Vipern und allen möglichen anderen Schlangen denken, die ich wohl schon Hunderte Male, und jedesmal starr vor Schreck, gehört hatte. Ich bekam ganz weiche Knie. Und wenn unter dem Heu, das ich da gerade wendete … Am liebsten hätte ich ja den Lederschlauch geholt, um einen kleinen Schluck zu trinken, aber der Gedanke, der Onkel könne sich über mich lustig machen, hielt mich zurück. Ich zog den Rechen durch das ausgebreitete Heu, und keine einzige Bewegung im Gras entging mir, doch erst, als ich beim Hochschauen das dunkle Kopftuch der Tante auftauchen sah, fühlte ich mich wieder ganz sicher.

Wir hatten den Nachmittag damit verbracht, auf Tres Aigües Heu zu wenden. Es fing an, dunkel zu werden. Die Haselnußsträucher am Flußufer raschelten leise im sanften Wind. Ich hörte den Pfiff des Onkels und hob Rechen und Heugabel auf. Mir war heiß unter meinem Kopftuch, und ich spürte den Schweiß, der mir die Haarwurzeln an der Stirn zu verbrennen schien. Als ich das Tuch abnahm, hörte ich all die Geräusche um mich herum; das Surren der Mücken zuerst. Ich lief die Wiese hinauf und blieb vor unserem Karren stehen, denn wir warteten auf die Tante, die noch das Gatter schließen mußte. Und während ich so auf das Land schaute, das in kleine, ungleichmäßige Stücke aufgeteilt war, dachte ich bei mir, daß in dieser Gegend selbst der reichste Mann noch ziemlich arm sei, denn wenn es hoch kam, warfen diese Stücke vier Wagenladungen voller Heu ab. Das Maultier schien mich mit seinem sanftmütigen Blick zu beobachten, und ich strich über seine Nüstern.

Man sah den Kirchturm, wie er über die Häuser von Pallarès herausragte, so als mache er einen langen Hals, und auf dem Weg hinunter nach Hause holperte der Karren über die Steine, daß man glauben konnte, er würde mit uns allen umstürzen.

Die Tante und ich saßen ganz hinten. Ich roch das würzige Gras, das so weich war und so behaglich. Da erzählte mir die Tante, daß sie von der Pfarrei aus nachgefragt hätten, ob ich nicht am Patronatsfest die Schale mit Basilikum herumreichen wolle. Natürlich machst du das, irgendein Kleid werden wir für dich schon herrichten, sagte sie, bevor ich auch nur den Mund hatte aufmachen können. Ich spürte, wie ich im Gerüttel des Karrens zu zittern begann. Vor lauter Freude.

Ich schloß die Augen und mir war, als ob die erste Zeit meines neuen Lebens in weiter Ferne lag: die Nächte, in denen ich mich in den Schlaf weinte, nachdem ich an meine Familie daheim gedacht hatte, an jeden einzelnen dort, wie ich immer und immer wieder aus dem Schlaf schreckte und dann diese Mutlosigkeit, die mich den ganzen Tag über nicht verließ. Wie schnell ich mich an eine so große Veränderung gewöhnt hatte! Doch alles in allem war ja schon fast ein halbes Jahr vergangen, und jetzt hatte ich sogar das Gefühl, nicht ganz zwar, aber doch fast, als ob ich in diesem Haus geboren wäre.

Wenn man die Tante erst einmal besser kannte, fiel es gar nicht so schwer, sie auch gern zu haben, denn sie war ein großzügiger Mensch. Nur ihre Anweisungen, die mußte man ganz genau befolgen. Es lag in ihrer Natur, alles bestimmen zu wollen und keinen Augenblick lang untätig zu sein, und Widerworte konnte sie einfach nicht leiden. Genau wie die Mutter hatte sie kein zärtliches Wesen, aber auf ihre Art zeigte sie schon Zuneigung. Das Glas mit frisch gemolkener Milch etwa, das sie wortlos vor meinen Teller stellte. Ich wußte sehr wohl, daß die Milch eigentlich aufgespart wurde, um die Kälbchen damit großzuziehen, und gab es genug, hielt man ein paar Liter zurück und brachte sie zu den Augustís, um damit die eine oder andere Pesete zu verdienen.

Der Onkel war sehr schweigsam, so wie am ersten Tag auf dem Rücken des Maultiers, aber unfreundlich war er nicht. Ich tat alles, um mich nützlich zu machen. Von früh bis spät war ich auf den Beinen und hatte gelernt, alle anfallenden Arbeiten zu verrichten, die im Haus und die auf dem Feld. Ganz genau so, wie sie es mir beigebracht hatten, ohne auch nur eine einzige selbständige Handbewegung hinzuzufügen, denn das wäre ihnen vielleicht als ein Mangel an Respekt erschienen.

Ihnen schmeckte einfach alles: der Preßsack und die Blutwurst, die mageren Stücke vom Schinken und selbst den fetten Speck fanden sie gut. Er habe mehr Geschmack als bei ihnen da unten, sagten sie.

Ich mochte gerne dabei zusehen, wie sie sich ihre Teller füllten und wie sie ihr Messer benutzten, fast für alles und jedes. Der Vetter der Tante schnitt sogar das kleine bißchen Fett vom Schinken ab und legte es auf den Tellerrand. Das sind ganz schöne Schleckermäuler, sagte der Onkel. Wenn ich die Teller abräumte und in die Küche brachte, nahm ich es mit zwei Fingern hoch und aß es auf, das Fett, meine ich. Das hat mir schon immer viel besser geschmeckt als das Magere, weil es nicht so fad ist, und außerdem hatte man mir beigebracht, nichts verkommen zu lassen.

Die aus der Stadt sind nicht vom gleichen Schlag wie wir, mit dem Essen sind sie ganz schön wählerisch, und sie meinen immer gleich, sie seien etwas Besonderes. Sie brauchen bloß hinter einem Ladentisch zu stehen, und schon steigt ihnen das zu Kopf.

Onkel und Tante sagten das jedenfalls, und ich glaubte ihnen aufs Wort, aber trotzdem gefiel es mir, daß die Vettern aus Barcelona jedes Jahr zu uns heraufkamen. Es war eine Freude, mit anzusehen, wie sie das Haus mit Leben füllten, Onkel und Tante umarmten, sich dabei eine Träne aus dem Auge wischten und ständig wiederholten: Dieses Mädel wird auch jedes Jahr schnuckeliger, und was für schönes und lockiges Haar sie hat! In Pallarès sagt man nicht »Mädel« oder »schnuckelig«, doch ich fand diese Worte drollig, und ich verstand sie, obwohl ich sie nicht gebrauchte. Ich dachte bei mir, eine Sprache ist wie ein Werkzeug, jeder hat seine eigene Art, damit umzugehen, auch wenn es für ein und dieselbe Sache gut ist.

Arbeit machten sie uns ja genug, das schon. Manchmal schnaubte die Tante geradezu, denn schließlich sollte alles tadellos in Ordnung sein, und sie hatte nicht genügend Hände, um sich gleichermaßen um das Vieh, die Wiesen und die Küche zu kümmern. Wegen dieser Besuche fing ich mit dem Kochen an, und dadurch entlastete ich die Tante. Am Anfang erklärte sie mir noch jede Kleinigkeit, denn sie traute mir nichts zu. Nach und nach bemerkte sie aber, daß ich umsichtig war und mich geschickt anstellte, und da ließ sie mich den Salat schon ganz allein zubereiten und dann die Omelettes und das Gemüse, später auch die Schmorgerichte und schließlich sogar die Suppe. Für Onkel und Tante war die Suppe heilig, sie zuzubereiten war eine Sache des Vertrauens. Jeden Tag gab es Suppe. Sie war wie das tägliche Brot und durfte nicht fehlen.

Wenn die Vettern aus Barcelona kamen, hatten wir mehr Ausgaben als sonst. Aber sie brachten uns auch Kaffee mit, eine Dose Gebäck und eine Tafel Schokolade, über die wir uns mehr freuten als über irgend etwas sonst. Ich erinnere mich noch, daß sie uns einmal eine Obstschale aus Porzellan mitbrachten; die dürfte einiges gekostet haben. Ein wunderschöner kleiner Korb war das, mit einem geflochtenen Henkel und einer gewellten Einfassung, damit das Obst nicht hinunterfallen konnte. Außen waren kleine Kugeln angebracht, die Kirschen darstellten, und jede hatte einen Stiel und zwei Blätter. An diesem Geschenk mäkelte die Tante immerzu herum. Bei der erstbesten Gelegenheit würde es zerbrechen, und dann könnten wir es sowieso vergessen. Außerdem müsse man das Obst an einem kühlen Ort aufbewahren und es nicht so auftürmen, einfach nur, damit es schöner aussieht. Und so ging es in einem fort. Ich sah aber wohl, daß die Verwandten dieses Geschenk mit der besten Absicht gemacht hatten, und das war es, was schließlich zählte. Es stimmte allerdings auch, daß ich ganz versessen auf schöne Dinge war, doch ich schwieg lieber, um Onkel und Tante nicht zu verärgern, vor allem die Tante nicht, die immer so praktisch dachte. Ein Stück trockenes Brot, sagte sie, ist mehr wert als irgendein Zierrat.

Jetzt weiß ich, daß damals die glückliche Zeit meines Lebens begann, obwohl das ganze Unglück, wenn man es genau betrachtet, hinter all dem fröhlichen Lachen schon auf der Lauer lag.

Gefeiert wurde nicht oft in jenen Jahren. Es gab ja so viel Arbeit! Daß es Sonntag war, merkte man nur daran, daß unser Tagwerk später begann, weil wir um sechs Uhr in die Frühmesse gingen. Und auch nur wir Frauen, denn weder der Onkel noch die meisten anderen Männer des Dorfes setzten je einen Fuß in die Kirche. Einmal abgesehen vom Großvater der Augustís und der Sebastiàs. Von unserer Bank aus, die sich in einer der letzten Reihen auf der rechten Seite befand, konnte ich fast alle Leute sehen. Schweigsam und ein wenig in sich zusammengesunken, weil es in der Früh noch so kalt war. Die Frauen glichen kleinen Bäumen, die mit dichten schwarzen Schleiern bedeckt waren. Beim Herausgehen gerade mal ein kurzer Gruß, und schon lief man nach Hause, um die Gerätschaften zu holen oder das Feuer anzuzünden, je nach Jahreszeit und je nachdem, ob tagsüber einer zu Hause blieb.

Das eigentliche Fest des Jahres war das Patronatsfest im Sommer. Es fand stets an einem Sonntag statt, um keine Arbeitszeit zu vergeuden, und es fiel mit dem Ende der schweren Arbeiten auf den Wiesen zusammen. Vor ein paar Tagen erst hatten wir gemäht und gedroschen, und wenn das Wetter nicht launisch gewesen war, auch das Heu eingebracht. Nur der zweite Schnitt stand gewöhnlich noch aus.

Der Platz war mit bunten Papiergirlanden geschmückt, weil aber die Kühe wie jeden Tag zur Weide getrieben wurden und dabei alles schmutzig machten, mußte man ihn mehrmals fegen und mit Wasser besprengen: vor dem Hochamt, das an diesem Tag um zehn Uhr anfing, dann wieder zu Beginn der Prozession und noch einmal vor dem Tanz am Abend.

Es vergingen ein paar Jahre, bevor mich die jungen Leute aus dem Dorf wirklich als eine der ihren ansahen und nicht als eine von auswärts, die nur zu Besuch war. Erst mit sechzehn forderten sie mich auf, beim Auszug aus der Kirche die Schale mit Basilikum zu tragen. Das bedeutete, man gehörte nun dazu und teilte miteinander all die kleinen und großen Sorgen bei den Festvorbereitungen: ob es darum ging, den Musiker auszusuchen oder die *coca* aufzuschneiden, die gemeinsam mit den Basilikumzweigen, aber auf einem eigenen Teller, herumgereicht wurde.

Ich weiß nicht, ob ich von Natur aus schüchtern war, ob es mit meinem Alter zu tun hatte oder weil ich armes Ding nicht die Tochter des Hauses war, in dem ich lebte. Mir war, als hätte ich nicht wirklich ein Anrecht darauf, an diesem Ort zu sein, und so traute ich mich eigentlich nur, wie auf Zehenspitzen herumzugehen. Ich glaube, es gab zwei Gründe, weshalb mich die Dorfjugend dann aber doch akzeptierte. Zum einen hatte die Tante dem Herrn Pfarrer gegenüber eine entsprechende Bemerkung fallengelassen, und außerdem, und das sage ich höchst ungern, hieß es, in unserer Gegend gebe es nur wenige Mädchen, die einmal einen Hof erben sollten und so aufgeweckt seien wie ich. Als ich mitbekam, was die Leute so redeten, wurde ich rot bis über beide Ohren. Und als ich am nächsten Tag aus dem Haus ging, hatte ich das Gefühl, alle würden mich mit anderen Augen ansehen und mich hinter ihren Fensterläden beobachten. Mehr als jemals zuvor fühlte ich mich wie bei einer Lüge ertappt, so als hätte ich einen großen Fehler begangen, den mir niemand verzeihen würde. Heute, mit dem Abstand so vieler Jahre, glaube ich, daß ich mit diesem Gefühl gar nicht falsch lag, auch wenn ich meine Angst und meine Schüchternheit schon bald überwinden sollte, war doch mein Leben dabei, sich wieder grundlegend zu ändern. In jenem Winter lernte ich Jaume kennen.

Die Zeit verging, und niemand sprach von daheim. Von meinen Leuten. Die Mutter und Maria hatte ich in diesen fünf Jahren nur ein einziges Mal gesehen, als sie in meinem ersten Sommer in Pallarès zum Patronatsfest gekommen waren. Und dem Vater und Josep war ich einmal auf dem Markt in Montsent begegnet. Dort erfuhr ich auch, daß mein Bruder Joan lange vor seiner Priesterweihe vom Seminar abgegangen war. Die Wege waren weit, und jeder wurde nun einmal da gebraucht, wo er war.

Onkel und Tante verloren kein Wort darüber, daß ich irgendwann wieder zurück nach Hause sollte, und um nichts in der Welt hätte ich mich getraut, von selbst damit anzufangen. Fühlte ich mich wohl bei ihnen? Was sollte ich darauf sagen? Ich lebte immer ein wenig in der Angst, man könnte mir irgendwelche Vorhaltungen machen. Vielleicht wegen der Armut bei uns daheim … Aber ich hatte mich an ihre Art gewöhnt. Und es war schon so, daß ich mir von Mal zu Mal weniger vorstellen konnte, aus Pallarès fortzugehen, um wieder in Ermita zu leben.

Den Leuten im Dorf erging es wohl ähnlich. Warum sollte man sich auch nicht langsam an den Gedanken gewöhnen, daß ich eigentlich keine schlechte Partie war, denn die Wiesen, das Haus, der Garten und die paar Tiere könnten ja mit der Zeit mir zufallen?

Martí, der Zweitgeborene der Sebastiàs, das war nach den Augustís die mächtigste Familie im Dorf, begann um mich zu werben. Ich wußte nichts vom Leben, doch die Tante sah es nicht ungern. Bind dir die Schürze besser, Mädchen, die jungen Burschen achten auf so was! Ich war verlegen und machte den Mund nicht auf, zumal auch Martí nicht gerade gesprächig war. Er schaute mich immer nur an, mit großen Augen, die mir so viel sagen wollten, wie es schien, doch lief er mir eher hinterher, als daß er meine Gesellschaft suchte. Von seinen Leuten hieß es, sie seien ziemliche Grobiane, von dem Schlag, der ständig herumschrie und auch schon mal handgreiflich wurde, wenn es nötig war. Ich empfand, wie soll ich es sagen, mehr Furcht als Freude. Mich hatte ja nie jemand gefragt, was ich eigentlich wollte, und so wußte ich gar nicht, wie man nein sagt. Doch ich tat alles, das schon, um ihm nicht zu begegnen, und ging deshalb sogar zu anderen Zeiten als sonst zum Brunnen oder in den Garten.

Ich hatte mich mit Delina von den Arnaus angefreundet, denn oft brachten wir gemeinsam das Vieh auf die Weiden von Solau; ihre Eltern hatten eine Wiese gleich neben unserer. Während die Tiere dort grasten, erzählte Delina mir so einiges. Man kann sagen, daß ich durch sie das ganze Dorf kennenlernte: Familie für Familie, jeden einzelnen. Es war unglaublich, was sie alles wußte, wo sie doch in die meisten Häuser noch nie einen Fuß gesetzt hatte! Sie war fröhlich und unerschrocken, ein Mädchen, das kein Blatt vor den Mund nahm, und das war mein Glück, denn oft bewahrte mich ihre Gesellschaft vor der Gegenwart meines Verehrers. Jag ihn doch zum Teufel, sagte sie zu mir, und das so energisch, daß ich nicht anders konnte, als laut loszulachen. Aber was sag' ich ihm nur? Na, was wohl, du sagst ihm einfach, du bist jemandem aus deinem Dorf versprochen. Doch solche Lügen kamen mir nur schwer über die Lippen, auch wenn ich schon daran dachte, ihm so etwas zu erzählen, wenn er mir einmal zu lästig werden sollte.

Aber das war gar nicht nötig. An jenem Montag ging ich mit dem Onkel hinunter zum Markt nach Montsent. Im Haushalt fehlte etwas, und die Tante hatte mich danach geschickt. Als es Zeit für den Heimweg war, sagte der Onkel, wir würden mit dem Karren der Ferrers hochfahren, der Familie des Schmieds aus Sarri. Was für ein Glück, daß uns dieser Fußmarsch erspart blieb! Ich stieg auf das Fuhrwerk, und plötzlich schlug mein Herz wie wild, denn ein strahlendes Lächeln wandte sich mir zu und eine Stimme, die sagte: Na, was machen die aus Pallarès? Gut schaute er aus, der Mann, der uns mitnehmen wollte, vielleicht der Sohn des Schmieds. Er war kleiner, als es auf den ersten Blick schien, denn er war sehr schlank. Dunkles kastanienfarbenes Haar, ein wenig gewellt und mit einem Seitenscheitel, eine breite Stirn und unter wohlgeformten Augenbrauen kleine, aber so lebendige Augen. Ein nicht allzu großer Mund, immer ein Lächeln auf den Lippen, und wenn er einmal doch nicht lächelte, war man regelrecht erstaunt über seinen ernsten Gesichtsausdruck.

Der Onkel saß lieber neben dem Kutscher auf dem Bock, für den Fall, daß er ihm mit den beiden Stuten helfen sollte. Ich traute mich anfangs gar nicht, von meinen Füßen aufzuschauen, die vom Rock fast bedeckt waren, aber nach kurzer Zeit lachte ich schon über das, was Jaume erzählte. Er hatte so ein offenes, natürliches Wesen und so viel Witz, daß ich bald jegliche Scheu vor ihm verlor. Seinem Blick aber, wenn er mir in die Augen schaute, konnte ich während der ganzen Fahrt nicht standhalten.

Ich weiß nicht, weshalb alle Conxa zu mir sagten. In Wirklichkeit hieß ich nämlich Concepció, aber das war viel zu lang, wo sie uns Kindern doch ständig hatten hinterherrufen müssen. So ist das eben gekommen. In unserer Familie gab es vor mir niemanden, der so hieß, obwohl Assumpció, Encarnació, Trinitat und Concepció ziemlich gebräuchliche Namen waren. Ich blieb einfach Conxa, und bis heute weiß ich nicht, wer mich zum ersten Mal so und nicht mehr Concepció genannt hatte. Conxa war eben einfach kürzer. Ich war überzeugt, daß man dabei an eine unförmige Matrone denken mußte, und weil ich so dünn war, hatte ich jedes Mal Angst, ausgelacht zu werden, wenn man mich nach meinem Namen fragte, und dann ging es mir eine Weile richtig schlecht. Aber Jaume sagte mir, mein Name zergehe ihm auf der Zunge. Das sei der Name von etwas ganz Winzigem und Süßem, und er gefalle ihm ausnehmend gut. Man hätte meinen können, Jaume sei einzig und allein nur deshalb auf der Welt, um mir all meine Ängste zu nehmen, ein Licht anzuzünden, wo ich nur Dunkelheit sah, und um alle Hindernisse aus dem Weg zu räumen, wenn sie sich vor mir wie ein riesiger Berg aufzutürmen schienen.

Bevor ich ihn wiedersah, und das war recht bald, hatten mir Onkel und Tante und Delina bereits alles über ihn erzählt. Über ihn und seine Familie. Er war wirklich der Sohn der Ferrers aus Sarri. Er war der Zweitgeborene, und sein älterer Bruder, der verheiratet war und Kinder hatte, würde später einmal alles erben. Deshalb gab es für ihn dort kein Fortkommen, und so hatte er ein Handwerk gelernt. Besser gesagt zwei. Er war Maurer und Schreiner, und er arbeitete mal hier und mal dort, eben da, wo es ein Haus zu bauen oder instandzusetzen gab. Es hieß, er sei sogar bis ins Vall d'Aran gekommen. Man hielt ihn für fleißig und gescheit, aber wegen seiner Arbeit auch für so etwas wie einen Vagabunden, freier und von daher auch sorgloser als die meisten anderen, die immer nur auf das Stück Land schauten, das sie zu bearbeiten hatten, oder hoch zum Himmel, um auszukundschaften, was sich dort zusammenbraute. Ich merkte wohl, daß sie in ihm in gewisser Hinsicht einen Außenseiter sahen, jemanden, der es verstanden hatte, seinen Weg zu machen, der sich seinen Leuten deshalb aber auch irgendwie entfremdet hatte. Wenn er wenigstens Schmied geworden wäre wie sein Großvater, hatte ich sagen gehört. Ganz schwer war mir ums Herz nach all diesen Geschichten, fast krank wurde ich davon, und ich nahm mir vor, mir all das aus dem Kopf zu schlagen, diese Fahrt und diesen Mann, der meine kleine alltägliche Welt in neue, leuchtende Farben getaucht hatte.

Aber er kam wieder, gleich am Donnerstag. Der Platz lag im strahlenden Sonnenlicht. Wir nutzten das gute Wetter und saßen draußen mit unserem Strickzeug oder mit den Bettüchern, die wir ausbessern wollten. Er konnte so lustige Geschichten erzählen. Kaum daß wir ihm ein paar Augenblicke zugehört hatten, schon lagen unsere Hände untätig im Schoß, die der Tante, die Delinas, die des jungen Mädchens von den Melis und meine eigenen. Ich hatte nur solche Angst, daß mein Herzschlag unser Lachen übertönen und meine geröteten Wangen mich verraten würden. Bevor er wieder fortging, fragte er noch, ob es in der nächsten Zeit kein Fest in Pallarès gebe. Er habe Lust zu tanzen, und in Sarri sei der Hund begraben.

Delina meinte zu ihm, es ist schon seltsam, daß du so viele Tage hintereinander in deinem Dorf bleibst, und er schaute mich an, bevor er ihr Antwort gab, und sagte, daß er im Augenblick das Haus seines Vaters herrichte und damit noch eine Weile beschäftigt sei. Vielleicht bis Weihnachten.

Die Tante zeigte mir eins von ihren Kleidern, wenn ich es mir ändern wolle, müsse ich mir allerdings selbst zu helfen wissen. Flicken könne sie ja, doch von feineren Näharbeiten verstehe sie nichts. Ich nahm all meinen Mut zusammen und machte mich auf zu den Esquirols, denn es hieß, Toneta habe goldene Finger. Sie brauchte mich bloß ein wenig anzuleiten, und schon traute ich mir die Arbeit selbst zu. Als Gegenleistung vereinbarten wir, daß ich ihnen beim Schlachten helfen würde. Jeden Lichtstrahl nutzte ich aus, und nachdem das Kleid erst einmal enger gemacht war, fiel es mir gar nicht mehr so schwer, es auch ein wenig zu verlängern. Und damit man nichts davon bemerkte, nahm ich die ausgefransten Fäden der übriggebliebenen Stoffstreifen und säumte das Kleid mit einem Festonstich. Dunkelgrün war es und im Rücken bis zum Hals geknöpft, mit einem Gürtel und einem weiten Rock, der mir bis an die Knöchel reichte.

Endlich war er da, der langersehnte Tanzabend. Und ich zitterte, als ich unsere Treppe hinunterging, obwohl doch Delina bei mir war. Nachdem man die Musik draußen schon eine ganze Weile gehört hatte, betraten wir das Schulzimmer, in dem alle Tische an einer Wand aufgestapelt waren. Beim Hineingehen wunderte ich mich über die Blicke der Leute. Die Augustís waren schon da, auch die Sebastiàs ..., so als ob das Fest unter ihrem Vorsitz stattfinden würde. Er war nicht da, und ich schaffte es nicht, nein zu sagen, und schon tanzte ich mit Martí von den Sebastiàs quer durch den Raum. Plump wie eine Kröte war er. Ich sah seine schweißnassen Schläfen und seine glänzenden Augen, sie waren mir unheimlich. Und seine Hand, die mich jedes Mal enger an seinen Körper preßte. Kaum atmen konnte ich, so als würde man mir die Luft abschnüren. Und dabei tat ich alles, um mir diesen Mann vom Leib zu halten. Wie ein Faß kam er mir in diesem Augenblick vor, und gleich würde er mich zu Boden reißen und mich mit seinem unglaublichen Gewicht niederwalzen.

Mir war klar, daß es nicht leicht sein würde, meinen Tanzpartner los zu werden. Doch Jaume, kaum war er da, regelte das Ganze einfach mit einem schallenden Lachen, so als ob wir uns schon unser ganzes Leben lang kennen würden: Jetzt sind mal die aus Sarri an der Reihe, mit den Mädchen aus Pallarès zu tanzen! Martí war völlig verdutzt, und ihm blieb keine Zeit, etwas zu entgegnen, denn Jaume und ich wirbelten bereits durch den Saal. Wie angewurzelt stand er da, sein Gesicht aber verzog sich zu einer solch säuerlichen Miene, daß ich mich nicht traute, zu ihm hinzuschauen.

Wir tanzten in einem fort. Ums Haus pfiff der Wind, unglaublich kalt mußte es draußen sein, mir aber lief der Schweiß den Nacken hinunter. Als ich sah, daß der alte Tonet sein Akkordeon zur Seite legte, blieb ich ganz außer Atem stehen. Es war tiefe Nacht, und in meinen Augen und in meinem Mund spürte ich so etwas wie ein Wunder. Erst als mich draußen die eisige Kälte packte, wachte ich auf, und da sagte er einfach, wenn ich nichts dagegen hätte, solle ich doch zu Hause Bescheid geben, daß er um meine Hand anhalten will. Am Sonntagabend würde er vorbeikommen, um sich die Antwort zu holen.

Von der Schule bis zu unserer Haustür waren es genau sechs Schritte. Beide Häuser standen Wand an Wand und bildeten eine Ecke des Dorfplatzes. Ich stand vor der Treppe, die ich erst vor wenigen Stunden hinuntergegangen war, und ich erkannte mich nicht wieder. Mit aller Macht versuchte ich, daran zu denken, daß ich die Conxa war, die nach Pallarès gekommen war, um bei Onkel und Tante zu leben. Aber das sagte mir nichts. Ich konnte jetzt nur noch Jaumes Conxa sein. Das war ein unglaubliches Glücksgefühl, aber ich sprang nicht auf, und ich tanzte nicht herum. Ganz still war ich. Und trotz der eisigen Kälte des Geländers, die mich nach oben trieb, blieb ich wie festgenagelt auf der Steinbank sitzen, dort, wo wir uns verabschiedet hatten.

Ich wollte noch einmal in Gedanken diese letzten Augenblicke erleben, diese letzte halbe Stunde vielleicht, mich einfach daran erinnern. Und ihn wieder an meiner Seite spüren. Noch immer waren die lärmenden Menschen zu hören, und unwillkürlich drehte ich mich um. Jaume lächelte mir vom anderen Ende des Dorfplatzes aus zu und hob den Arm, um mir Lebwohl zu sagen. Da lief ich so schnell ich konnte nach oben. Ich fühlte mich nicht mehr von dieser Welt: Es war wie ein Traum.

Zweiter Teil

Die Zeit der Tränen, weil sie mich Jaume nicht heiraten lassen wollten, lag weit zurück. Am Ende hatte die Vernunft gesiegt. Es gab ja auch keinen Grund, weshalb wir nicht heiraten sollten. Onkel und Tante verloren kaum ein Wort darüber, doch sie hatten mancherlei Überlegungen angestellt.

Die Aussicht, ich könnte eine bessere Partie machen, etwa mit Martí von den Sebastiàs oder einem anderen, der Umstand, daß sie an mir Elternschaft vertraten, wo die meinen doch noch lebten, die bescheidenen Verhältnisse Jaumes, der ja nur ein Handwerker war …

Aber jeder wußte auch, daß die Sebastiàs zwar viel Land besaßen, doch wenig Lust zum Arbeiten hatten; der Vater war nicht ganz richtig im Kopf, die Mutter eine Betschwester, und der Sohn hielt nichts davon, sich krummzulegen. Von ihm war ja schon die Rede. Ein etwas begriffsstutziger Bursche war das, der wie ein kleines Kind am Rockzipfel seiner Mutter hing. Alle drei waren sie außerdem richtige Schleckermäuler. Die Frau, die dort einmal einheiraten würde, mußte sich schon warm anziehen, und Onkel und Tante wußten das. Außerdem gab es da etwas, das zu unseren Gunsten sprach: Jaume war nicht der erstgeborene Sohn. Er könnte mit uns in Pallarès leben, und ich als zukünftige Erbin würde dann weiterhin unter der Obhut von Onkel und Tante stehen. Und daß er kein Bauer war, dieses Problem löste Jaume ganz einfach, indem er versprach, im Sommer bei den schweren Arbeiten zu helfen, beim Mähen, beim Garbenbinden und beim Dreschen. Im Winter würde er dann allerdings als Maurer arbeiten, wo immer es einen Auftrag für ihn gab. Und seinen Lohn, den sollten Onkel und Tante verwalten, und außerdem wollte er das ganze Haus wieder herrichten, das drohte nämlich einzufallen.

Nachdem sich die erregten Gemüter erst einmal beruhigt hatten, brachte das, was anfangs ein schlechter Handel zu sein schien, nach und nach so manchen Vorteil für Onkel und Tante. Ich glaube, entscheidend war das Versprechen, über das Geld bestimmen zu können. In den Dörfern war ja Geld damals kaum in Umlauf. So ein Geldstück sah man höchstens, wenn mal ein Stück Vieh verkauft wurde.

Ich will damit nicht sagen, daß alles ein Tauschhandel war, denn daß ich immer stiller und trauriger wurde, als sie anfänglich gegen unsere Heirat waren, trug mit dazu bei, die Wogen zu glätten, das

weiß ich wohl. Nicht umsonst hatte die Tante schließlich einen sehr viel älteren Mann geheiratet, und die
Liebe zweier junger Menschen ließ sie sicherlich
nicht unberührt. Vielleicht war sie aber auch einfach klüger, als sie sich den Anschein gab, denn
so völlig aus dem Gleichgewicht gebracht, wie ich
es war, hatte sie bestimmt befürchtet, ich könnte
Jaumes Wunsch nachgeben, unser eigenes Leben zu
leben.

Doch aus Dankbarkeit fühlte ich mich an Onkel
und Tante gebunden, besonders an die Tante. Der
Onkel war ein rechter Eigenbrötler, der seinen Weg
ging, ohne viele Worte zu machen, weder im Guten
noch im Bösen, ein ziemlicher Gewohnheitsmensch,
der mit dem lebhaften und tatkräftigen Charakter
seiner Frau zufrieden zu sein schien. In allem ließ
er ihr freie Hand, nur die Aufsicht über die Feldarbeit und alles, was den Viehhandel anging, behielt
er sich selbst vor. Freunde hatte er kaum, aber auch
keine Feinde, denn er war fleißig und keinesfalls ein
Angeber.

Um mich hatte sich fast ausschließlich die Tante
gekümmert, und ich fühlte mich schuldig, wenn ich
nur daran dachte fortzugehen. Vielleicht hatte ich
im Grunde aber auch Angst, etwas wieder zu verlieren, das ich doch gerade erst zu besitzen gelernt hatte.
Jaume akzeptierte diese Unfähigkeit, mich wirklich
frei zu fühlen, und gemeinsam mit mir verschrieb

er sich einem Stück Land und zwei Menschen, die es gewohnt waren, alles selbst zu regeln, ohne dabei irgend jemanden um Rat zu fragen. Aber man muß auch sagen, daß unsere Liebe uns damals für allen Verdruß entschädigte.

Wieder war es Sommer geworden. Man schrieb den Juni 1921. Die Wiesen leuchteten goldgelb, und der Klatschmohn stand in voller Blüte; überall war das Surren der Fliegen auf ihrer beharrlichen Jagd nach Nahrung zu hören. Am Flußufer zeigten die wilden Haselnußsträucher, die Nußbäume und Schwarzpappeln ihr sattes Grün. Die Berge glichen einem einzigen Ameisenhaufen. Zwischen all dem Gelb und Grün waren sie von Arbeitern bevölkert und von Karren auf erdigen Wegen, waren erfüllt vom Singen der Sicheln und Sensen, die ohne Erbarmen die schlanken Halme niedermähten. Die Erde quoll über von all der Fülle, die ein ganzes Jahr lang reichen mußte. Nur das Glucksen des Wasserkrugs oder Weinschlauchs ließ die Bauern für einen Moment zum Himmel hinaufblicken.

Erschöpft vom Mähen lief ich immer wieder von der Wiese nach Hause, um Elvira zu stillen, und meine Brüste waren so prall, daß mir die Milch schon auslief und meine Bluse durchnäßte. Ich war am Ende meiner Kraft und ständig in Sorge – sie wird be-

stimmt weinen, dachte ich –, obwohl ich doch wußte, daß die Tante ihr in Milch eingeweichte Brot-
krummen geben würde, wenn ich nicht rechtzeitig
da sein sollte. Aber die Kleine verlangte nach ihrer
Mutter, und alle sagten, sie schreie gar nicht so sehr
aus Hunger, sondern weil ich ihr fehle. Sie hatte so
wenig von mir in diesem ersten Sommer ihres Lebens.
Die Arbeit draußen nahm einfach kein Ende! Manchmal gab mir Jaume ein Zeichen, nach Hause zu gehen.
Dann machte ich mich auf den Weg, aber ich hatte
immer Angst, daß der Onkel es merken und mir
grollen würde. Und so lief ich wie gehetzt hin und
her, von Elvira zu den Wiesen und von den Wiesen
zu Elvira. Wenn ich heute daran denke, wird mir
klar, was das für eine Plackerei war. Doch Jaume an
meiner Seite zu wissen, das gab mir Kraft und trieb
mich hin zum Allerwichtigsten: unserer Tochter. Er
sagte: Zuerst kommen die Menschen und dann alles
andere. Aber es fiel mir nicht leicht, danach zu han-
deln, denn man hatte es mir ja genau andersherum
beigebracht. Erst wenn die Felder und das Vieh ver-
sorgt waren, kamen die Menschen an die Reihe.

Jaume lehnte sich gegen eingefahrene Gewohn-
heiten auf, doch war er sehr darauf bedacht, nur ja
keinen Streit mit Onkel und Tante heraufzubeschwö-
ren. Schließlich hatten wir es vor unserer Hochzeit
schon schwer genug gehabt. Beseelt von dem Wunsch
nach Ruhe und Frieden, begegneten wir ihnen mit

besonders viel Respekt, auch wenn das bedeutete, daß wir uns manches Mal auf die Zunge beißen mußten, um ja nicht zu widersprechen. Ich war Jaume für seine Umsicht dankbar. Und er, er lachte bald über dieses, bald über jenes, und er sagte, er fühle sich so glücklich wie noch nie, glücklich darüber, Vater zu sein, jung und verliebt.

Elvira war kurz vor unserem ersten Hochzeitstag zur Welt gekommen. Am 18. November war das, und Jaume arbeitete gerade unten in Montsent. Sie wurde an einem Dienstag geboren, doch er erfuhr erst davon, als Anton von den Perets am Freitag etwas in Montsent zu erledigen hatte. Jaume ließ alles stehen und liegen und stieg trotz der schneevereisten Wege bei Einbruch der Dunkelheit hoch zu uns. Vor Sonntag erwartete ihn niemand.

Was für ein Glücksgefühl, als er mitten in der Nacht plötzlich vor mir stand und sein vor Kälte gerötetes Gesicht aus dem Schal wickelte. Er umarmte mich ganz fest, und dann schaute er sich die Kleine an, die in ihrer Wiege schlief, ganz nah ging er an sie heran. Als er wieder zu mir kam, sagte er nichts, nahm nur meine Hände in seine, und bald schon verschmolzen Hitze und Kälte miteinander. Wir brachten kein Wort heraus, und erst nach einer ganzen Weile erzählte ich ihm, noch ziemlich aufgewühlt und in einem völligen Durcheinander, von der Geburt. Ihm war seltsam zumute bei der Vorstellung, drei Tage lang nichts davon gewußt zu haben, daß er Vater einer Tochter war. Irgendwie kam ihm das wie ein Betrug vor. Dann küßte er mich und machte sich wieder auf den Weg, aber nicht, ohne mir versprochen zu haben, zuvor noch wenigstens eine Tasse Milch zu trinken; auch wenn er nicht zuließ, daß ich aufstand, um sie ihm heiß zu machen. Keinen Augenblick lang hatte er sich ausgeruht, und schon stieg er wieder hinab nach Montsent, um am frühen Morgen rechtzeitig auf der Arbeit zu sein.

Die Tante tat ganz ungerührt, als ich ihr am nächsten Tag davon erzählte, doch ihre Augen verrieten sie. Ich glaube, daß dies der Moment war, in dem Jaume sie für sich einzunehmen begann, auch wenn sie es sich nicht anmerken ließ.

Die Tage flogen nur so dahin. Elvira war bereits ein Jahr alt, und ich hatte noch gar nicht wirklich begriffen, was es hieß, Mutter zu sein, als man mir an meinem Bauch ansah, daß ich wieder ein Kind unter dem Herzen trug. Vielleicht würde es ja dieses Mal ein Junge. Ich weiß nicht, weshalb sich alle darum die meisten Gedanken machten. Ein Erbe. Und ich wußte nicht, ob ich einen Jungen wollte, nur weil jeder fand, es sei besser, einen Jungen zu haben als ein Mädchen, oder einfach so. Um eine Tochter und einen Sohn zu haben, ein Pärchen eben.

Aus einem Jungen wird einmal ein Mann. Und ein Mann, der ist stark genug, um den Boden zu bestellen, um Vieh zu halten, um ein Haus zu bauen. Aber so ganz leuchtete mir das nicht ein. Wenn ich an die Familien dachte, die ich gut kannte, dann war es die Frau, auf deren Schultern das meiste ruhte. Und dachte ich an uns daheim, dann war es die Mutter, die alle Arbeiten erledigte oder sie beaufsichtigte. Von der Tante einmal ganz abgesehen. Die Frau bringt die Kinder zur Welt und zieht sie groß, sie mäht, kümmert sich um den Stall, die Hühner, die Kaninchen. Sie verrichtet die Hausarbeit und sorgt sich um so viele andere Dinge: den Garten, das Einmachen, das Wursten … Und der Mann? Er war vor allem für die Dinge außerhalb des Hauses zuständig. Wenn es darum ging, eine Kuh zu verkaufen oder jemanden für die Ernte einzustellen. Eigentlich war es gar nicht so klar, daß ein Mann mehr wert war oder mehr leistete, aber immer wieder hieß es: Was ist ein Hof ohne einen Mann? Und ich denke mir: Was ist ein Hof ohne eine Frau? Doch was von jeher gesagt wurde, hatte eben viel Gewicht. Ich weiß nur, daß ich einfach gerne einen Jungen wollte.

Natürlich war es während der Schwangerschaft schwieriger, allem gerecht zu werden. Jaume half mir viel, aber er war ja oft nicht zu Hause. Im Winter sogar ganze Wochen lang. Mein Leben und das der

Kleinen war vor allem von der Vorfreude auf den Samstag bestimmt, wenn er heimkam zu uns, und von unserer traurigen Stimmung am Montag früh, wenn er wieder fortging. Er war viel unterwegs und kannte von daher jede Menge Leute. Zu Hause wirkte er oftmals abwesend, und fragte ich ihn, wo er mit seinen Gedanken sei, dann war ich jedes Mal enttäuscht, wenn mir klar wurde, daß er nicht an mich dachte, und auch nicht an Elvira oder das Kind, das bald geboren werden sollte. An nichts, sagte er, oder daß er an diesen oder jenen Hof in Montsent oder Sarri denken würde, wo es noch an dem ein oder anderen fehle, und daß alles eigentlich ganz einfach wäre, wenn … Dann schaute er mich an und schwieg, wiegte mich in seinen Armen wie ein kleines Kind und meinte, daß wir doch jetzt etwas unternehmen könnten. Seine bloße Anwesenheit reichte mir nicht. Ich konnte nicht genug von ihm bekommen, hätte so gern seine geheimsten Gedanken erraten und all das, von dem er mir, wie ich spürte, nur die Hälfte erzählte. Aber wir hatten so wenig Zeit für uns allein. Immer gab es Arbeit, immer war da jemand. Mir kam es vor, als ob er das gar nicht so empfand, aber ich traute mich nicht, ihn danach zu fragen, sonst würde er sich am Ende vielleicht noch über meine Sorgen lustig machen.

Manchmal sprach ich mit Delina darüber. Wir waren nach wie vor befreundet, auch wenn ihre

Familie und Onkel und Tante sich wegen der Wasserzuteilung für den Gemüsegarten von Fontnova zerstritten hatten. Delina sah die Dinge ganz anders als ich. Sie behauptete, alle Männer seien gleich, hätten sie sich erst einmal eine Frau für Haus und Hof gesichert, dann würden sie keinen Gedanken mehr an sie verschwenden. Liebe sei trügerisch, ein Gefühl, das eh nur ein paar Tage andauert, und man dürfe nicht viel drum geben. Ich sah das nicht so, aber ich fand nicht die richtigen Worte und wußte nicht, was ich ihr entgegenhalten sollte. Mir kam bloß in den Sinn, daß sie das eigentlich ja gar nicht wissen konnte, wo sie doch noch nicht einmal einen Verehrer hatte. Sie schien einen gewissen Groll gegen die Männer zu hegen, weil bislang noch keiner erkannt hatte, wie sie wirklich war: durch und durch eine Frau, fleißig, geschickt und alles in allem genauso arm wie jede andere hier bei uns. Und damit hatte sie ja recht.

Ich aber bekam erst durch Jaume eine eigenständige Persönlichkeit, und in meine Liebe zu ihm mischte sich Dankbarkeit. Die anderen, zuweilen selbst die Kinder, störten mich. Von der Arbeit ganz zu schweigen. Auch wenn sie mir das Gefühl gab, lebendig zu sein, mir keine Zeit zum Lamentieren ließ und zum Nachdenken schon gar nicht. Aber wenn Elvira mitten in der Nacht weinend wach wurde, und ich sie erst einmal beruhigt hatte, fand ich selbst nicht mehr in den Schlaf, und da begann ich über alles mögliche nachzugrübeln, angefangen bei meiner Kindheit in Ermita bis hin zu Jaumes Gesicht, damals in Montsent, auf dem Karren seines Vaters, als er mich zum ersten Mal anlächelte. Und mittendrin gingen mir immer wieder, in einem heillosen Durcheinander, all die Arbeiten durch den Kopf, die für den nächsten Tag anstanden. Und als ich das Gefühl hatte, gerade eingeschlafen zu sein, da kam mich die Tante wecken, ganz überrascht, daß noch kein Feuer brannte.

So merkwürdig wie unsere Nachbarn war wohl niemand sonst im ganzen Dorf. Die Familie bestand aus dem Vater, ungefähr so alt wie der Onkel, aus zwei Töchtern und einem Schwiegersohn. Soledat war schon fast eine alte Jungfer, während Tereseta zwei Winter vor Jaume und mir den armem Lluís geheiratet hatte. Die Mutter war bereits vor Jahren gestorben, noch bevor ich zu Onkel und Tante gekommen war. Trinitat hatte sie geheißen, und zu ihren Lebzeiten stand ihr Mann in dem Ruf, ein richtiger Waschlappen zu sein. Es hieß, sie sei eine wortkarge Frau gewesen, und böse Zungen behaupteten sogar, eine Hexe. Das Haus verließ sie nie, und man sah sie nur, wenn sie aus dem Fenster hinausspähte oder bei schönem Wetter aus einem geöffneten Balkon. Die Leute hatten Angst vor ihr, suchten aber ihren Rat, wenn sie sich in einer ausweglosen Situation glaubten. Sie empfahl dann einen bestimmten Trank und sprach Gebete, doch diejenigen, die schon einmal die schmale Treppe in das erste Stockwerk hochgestiegen waren, wollten nichts sagen, wenn sie wieder herauskamen. Eine gute Freundin der Tante hatte ihr einmal erzählt, daß es drinnen so schmutzig sei wie in einem Schweinestall und daß überall getrocknete Kräuterbüschel herumhängen würden. Und an die Tür sei eine Rabenkralle genagelt, das hatte sie beim Herausgehen gesehen, und da sei ihr das Blut in den Adern gefroren.

Später dann, nach Trinitats Tod, hatte ihr Mann mit einem Mal begonnen, auf dem Dorfplatz herumzuerzählen, all denjenigen, die nichts zu tun hatten, alten Leuten wie er oder Kindern eben, daß seine Töchter, angefangen mit der Ältesten, Anrecht auf den Thron von England hätten. Natürlich verbreitete sich diese Nachricht wie ein Lauffeuer im ganzen Dorf: Ein heilloses Durcheinander gab das, schon allein deshalb, weil kaum jemand auch nur im entferntesten eine Ahnung davon hatte, wo dieses Land überhaupt lag. Doch anstatt ihren Vater für verrückt zu erklären, redeten ihm seine Töchter nach dem Mund und wurden fuchsteufelswild, wenn sich die Gören vor ihrer Nase über Soledat lustig machten und ihr spöttisch »Königin« hinterherriefen. Tereseta, die es mit der Krone weniger ernst nahm, erboste sich nicht so arg darüber, hetzte aber ihren Mann auf die Kinder, schrie von der Straße her nach ihm, bis sie heiser war, was natürlich nur noch mehr Anlaß zu allgemeiner Heiterkeit gab. Der arme Lluís stellte sich stocktaub, und immer wenn sein Schwiegervater aus dem Haus ging, sah er zu, daß er weit weg etwas zu tun hatte, im Stall etwa oder im Gemüsegarten. An einem solchen Tag kam er dann sogar zum Abendessen zu spät. Es war in aller Munde, daß es im ganzen Dorf keinen Mann gab, der mehr an die Kandare genommen wurde als er.

So viel steht fest, Soledat war der Schrecken aller Kinder, und mehr als einmal, wenn sie hinter ihnen herlief, um sie zum Schweigen zu bringen, hätte sie eins von ihnen um ein Haar verprügelt. Sie ging auf die vierzig zu, eine große und hagere Frau, die ihr Haar mitten auf dem Kopf zu einem kleinen Knoten geschlungen trug. Ihr sonnenverbranntes Gesicht war von zahlreichen Falten zerfurcht, und ihre kleinen Augen schienen ständig auf der Lauer zu sein. Sobald es Herbst wurde, band sie sich ein schwarzes Kopftuch um, das ihr Haar völlig verdeckte und auch einen großen Teil ihrer Stirn, und bis es nicht wieder Sommer geworden war, legte sie es um nichts in der Welt ab. Tereseta und sie, das waren mürrische Frauen, die mit niemandem verkehrten, es sei denn, sie fingen mit irgend jemanden einen Streit an, was dann immer in einer lebenslangen Feindschaft endete. Wenn sie sich erst einmal in etwas festgebissen hatten, waren sie durch nichts und niemanden mehr davon abzubringen.

Schwerfällig stieg ich mit einem Büschel Gras für die Kaninchen die Treppe hinauf. Soledat sah mich vom Balkon aus und bemerkte, daß ich in anderen Umständen war. Notgedrungen mußte ich mir anhören, daß es anscheinend mal wieder so weit sei und Jaume und ich wohl nichts anbrennen ließen. Ihr Kichern ließ mir das Blut in den Kopf schießen. Und dann durchbohrte sie mich mit ihren kleinen tückischen Augen und verkündete mir in abschätzigem Ton: Das wird wieder ein Mädchen.

Im Frühjahr 1923 wurde es geboren. Am letzten Tag im März, und noch immer gab es Morgenfrost. Wir nannten sie Angeleta.

Wenn man von der Eifersucht der Großen auf die Kleine absah, dann waren die folgenden sechs Jahre gute Jahre für uns. Die Sorgen, die ich mir manchmal um Jaume machte, quälten mich immer seltener. Ich kann nicht sagen, ob unsere Töchter uns einander noch näher brachten oder ob sie eher zwischen uns standen, ich weiß nur, daß ich oft das Gefühl hatte, wir würden uns über die beiden lieben. Wenn ich auf den Weiden von Solau das Vieh hütete, eine Masche rechts, eine Masche links, dann mußte ich immer an diese unbändige Freude denken, die mich einfach mit sich gerissen hatte, damals, als ich mich in Jaume verliebte, und sie kam mir vor wie ein verlorenes Paradies. So wie der Pfarrer den Himmel predigte, mochte ich ihn mir nicht vorstellen, für mich glich er vielmehr jener seltsamen Macht, die meine ganze Welt aus den Angeln gehoben hatte.

Oft riß mich Elvira aus meinen Gedanken. Sie jagte mir einen gehörigen Schreck ein und konnte sich dann vor lauter Lachen nicht mehr einkriegen.

Sie wuchs heran, war klein und zart, aber lebhaft, und ihre Energie erinnerte an die der Tante. Sie kam, um mich abzulösen, damit ich das Abendessen vorbereiten konnte. Die Lehrerin meinte, sie habe eine rasche Auffassungsgabe, und die Vorstellung, daß sie sich im Leben einmal besser zurechtfinden würde als ich, machte mich glücklich.

An jenem Tag kam Elvira mit einer Neuigkeit. Die Vettern hatten geschrieben, und die Tante dachte offenbar daran, zu ihnen nach Barcelona zu fahren.

Mir blieb fast das Herz stehen. Da mußte irgendein Unglück passiert sein. Eine so weite Reise zu machen, schien mir nichts Gutes zu bedeuten. Ich ließ alles stehen und liegen, so als hätte ich gerade erfahren, daß bei uns in der Scheune ein Feuer ausgebrochen sei. Elvira hatte ich erst gar nicht ausreden lassen, denn ich wollte so schnell wie möglich wissen, was da los war. Unterwegs traf ich auf Delina, die gerade die Kühe heimtrieb. Das war mein Glück, denn sie brachte mich ein wenig auf andere Gedanken. Sie war vergnügt wie immer und erzählte mir, daß ihr älterer Bruder ja bald zum Priester geweiht würde, und daß sie ganz aufgeregt sei, wenn sie nur daran dachte. Er hatte gemeint, wenn sie nicht vorhätte zu heiraten, dann könnte seine Schwester, wenn er erst einmal seine erste Messe gelesen hätte, also dann könnte Delina doch seine Haushälterin werden und sich um alles kümmern. Um die Meß-

gewänder und um das Pfarrhaus, das er dann zuge-
wiesen bekäme, und dann wäre sie die angesehenste
Frau im ganzen Ort. Delina wußte wohl, daß es bis
dahin noch etwas dauern würde, aber jetzt habe sie
ein Ziel in ihrem Leben, und das sei schließlich viele
Jahre nicht so gewesen. Ich traute mich gerade noch
einzuwenden, daß irgend jemand sie bis dahin vielleicht zur Frau nehmen möchte, doch sie sagte nein,
auf gar keinen Fall. Sie könne es sich nicht vorstellen, irgendeinem Mann das Dienstmädchen zu machen, allein der Gedanke daran bringe sie schon auf
die Palme.

Während ich noch überlegte, was dieses »auf die
Palme bringen« wohl bedeuten könnte, waren schon
die ersten Häuser des Dorfes in Sicht, und wie ein
Windstoß flogen all die dunklen Gedanken wieder
auf mich zu. Ich nahm gleich zwei Stufen auf einmal, als ich die Treppe hoch in die Küche lief. Die
Tante war seelenruhig beim Kartoffelschälen, und
der Onkel saß mit seiner Pfeife im Mund am Feuer.
Ich sah gleich, daß nichts Schlimmes passiert war,
und da nahm ich mir vor, nichts von dem zu sagen,
was Elvira erzählt hatte. Die Tante könnte es mir
übelnehmen; doch sie fing sofort an zu reden, als sie
mich sah. Kind, in Barcelona findet die Weltausstellung statt, und mein Vetter hat mich eingela-
den, ich soll unbedingt kommen. Ich finde, wenn
ich jetzt nicht nach Barcelona fahre, dann wird viel-

leicht nichts mehr daraus, bevor ich sterbe. Wenn du dich allein um das Haus und die Kinder kümmern kannst, mach' ich mich in zwei Wochen auf den Weg. Dann sagte sie noch, daß auf so einer Weltausstellung viele schöne Dinge aus aller Herren Länder gezeigt würden. Woraufhin der Onkel meinte: Und dafür brauchen sie natürlich deinen Segen. Er sagte das nicht etwa verärgert, eher so, als sei er neidisch auf seine Frau, weil sie in der Lage war, sich für etwas zu interessieren, das so weit weg war und so fremd …

Ihm war das alles egal. Was in Barcelona vor sich ging und selbst das, was in Montsent passierte. Das tägliche Einerlei schien dem Onkel mehr zuzusagen als alles andere, und die Tante warf ihm das oft vor. Wenn es nur nach dir ginge, würden wir hier versauern. Das war natürlich übertrieben.

Jaume wollte, daß Elvira in Montsent zur Schule ging, wo man im Schreiben und Rechnen mehr beigebracht bekam. Für ihn war es wichtig, daß sie so viel wie möglich lernen konnte, und weil sie im vergangenen Winter so fleißig gewesen war und die Lehrerin noch dazu große Stücke auf sie hielt, stand sein Entschluß fest. Nur daß sie anderthalb Stunden unterwegs sein würde, ließ ihn ein wenig zögern.

Ich sagte ihm, es wäre gut, wenn sie auch nähen lernt, und er lächelte. Ist doch klar! Aber es schien uns besser, noch etwas zu warten, und mit dreizehn sollte Elvira dann bei einer angesehenen Familie in Montsent als Hausmädchen anfangen und nachmittags für einige Stunden zum Unterricht gehen. So war es abgesprochen.

Jaume und ich hatten uns gemeinsam aufgemacht, um bei Sant Damià das Vieh zusammenzutreiben. Ein strahlend schöner Tag war das, und alles schien wie in einem riesigen Spiegel zu leuchten. Es wehte ein frischer Wind, was nicht weiter verwunderlich war, denn in der Ferne konnte man noch Schnee auf den Berggipfeln erkennen, und das obwohl seit Tagen frisches junges Grün aus der Erde sproß. Voller Hoffnung auf zartes Laub streckten die Birken dem Himmel ihre Zweige entgegen. Wir mußten uns beeilen, denn ich war ja allein mit der ganzen Arbeit im Haus. Die Mädchen blieben beim Onkel im Gemüsegarten, während wir die Kühe und Kälber nach Hause trieben.

Dieser gemeinsame Weg, Seite an Seite, war wie geschaffen, um einmal in Ruhe reden zu können. Am Abend würde ich bestimmt völlig erschöpft ins Bett fallen, aber jetzt hatte ich einfach nur Freude daran, draußen zu sein, von einem Felsen zum anderen zu springen, durch den Bach zu waten, den Brennesseln auszuweichen. Die Kühe waren folgsam, man mußte sie nur daran hindern, die jungen Triebe von den Ästen zu fressen, und sie wieder auf den richtigen Weg bringen. Vor Schlangen brauchten wir keine Angst zu haben, dafür war es noch zu kalt.

Wir sprachen erst von den Kindern und dann so ganz allgemein. Jaume gestand mir, daß er viel darum gegeben hätte, nach Barcelona fahren zu können, so wie die Tante, und daß er sich um die Zukunft unseres Landes Sorgen mache, um die Gerechtigkeit. Er sagte, hier in den Bergen seien wir ganz auf uns gestellt, niemand würde sich um uns Bergbauern scheren, die wir so weit weg leben von dem Ort, an dem alle Entscheidungen getroffen werden …

Wenn wir auf solche Dinge zu sprechen kamen, passierte mir immer dasselbe. Ein dichter Nebel umhüllte mein Gehirn und schlich sich von dort runter bis ins Herz. Und da wurde es eiskalt und ganz düster. Was ich vor Augen hatte, kannte ich, über das, was die Leute bei uns sprachen, konnte ich mitreden, so war ich eben. Alles, was nicht mit Pallarès oder Montsent oder mit Ermita zu tun hatte, war mir dagegen völlig fremd. Ich hatte von Barcelona gehört, vom Meer, sogar von Madrid, vom König. Aber alles zusammen wirkte auf mich wie eine dieser Geschichten, die der Vater uns Kindern am Feuer erzählt hatte. Ich dachte, all das gebe es nicht wirklich und sei genauso ein Schwindel wie Soledats Anrecht auf den Thron von England. Jaumes Augen leuchteten immer, wenn er mir von den Dingen da draußen erzählte, und vielleicht geriet mir ja deshalb die Welt dann so ins Wanken. Um mich herum drehte sich alles, und anstatt daß ich die Tiere nach Hause führte, waren sie es, die mir den Weg zeigten. In diesen Momenten waren Jaume und ich so verschieden wie Tag und Nacht, und dieser Unterschied machte mir mehr Angst als unsere Trennung während der Woche, wenn er woanders arbeitete.

Noch vor Einbruch der Nacht kehrten wir heim. Der Donnerstag ging zu Ende, und morgen begann wieder ein neuer Arbeitstag. Am Sonntag kam die Tante zurück und strahlte über das ganze Gesicht.

So hatte ich sie noch nie gesehen. Sie wußte gar nicht, wo sie anfangen sollte, um uns von der Ausstellung zu erzählen, und davon, wie gut sie von der Familie aufgenommen worden war, vor allem von Ventura, der Tochter ihres Vetters Tomàs, die sie überall herumgeführt hatte.

Sie erzählte von Palästen, von Parkanlagen und von so vielen anderen Dingen, die sich mit nichts vergleichen ließen, was wir hier in Pallarès kannten. Außer vielleicht, wenn überhaupt, mit den Bergen und Flüssen.

Im Herbst wurde der Onkel krank. Es schien von der ganzen Plackerei im Sommer zu kommen, aber langsam wurde es Winter, und es ging ihm immer noch nicht besser. Der Arzt aus Montsent hatte gemeint, sollte der Onkel um Weihnachten herum immer noch dieses Brennen verspüren, müßten wir ihm Bescheid geben, und dann würde er ihm einen Sirup verschreiben. Der Onkel saß zusammengekauert in einer Ecke und schien nichts mehr mitzubekommen, er redete kaum noch, ja er beklagte sich noch nicht einmal. Ab und zu erzählte er den Kleinen Geschichten, aber nur, wenn wir Erwachsenen nicht in der Nähe waren. Ich habe nie herausbekommen, ob er gern mit ihnen zusammen war, oder ob es ihm darum ging, uns zu helfen. Wenn er schon nicht mehr zur Arbeit taugte, wollte er sich wenigstens um die Kinder kümmern, damit sie uns nicht störten.

Allerseelen hatte die Tante damit begonnen, ihm den Leib mit einer Salbe einzureiben, die aus Schlangenfett bestand und einem Kräutergemisch. Sie hat mir nie sagen wollen, wie sie an das Rezept gekommen war. Der Onkel ließ alles mit sich geschehen, aber es ging ihm nicht besser. Er aß kaum noch, und nachts konnte er nicht schlafen.

Zum Arzt nach Montsent mußten wir ihn nicht mehr bringen. Am 8. Dezember, am Tag der Unbefleckten Empfängnis, ließ uns der Onkel allein auf dem Schiff zurück, dessen Kurs er bislang mitbestimmt hatte.

Ich weiß nicht, ob wir immer erst einen Menschen verlieren müssen, um uns darüber klarzuwerden, daß wir ihn geliebt haben, aber mir ging es so. Zu seinen Lebzeiten hatte ich keine Zeit, darüber nachzudenken, ob ich Liebe für den Onkel empfand oder Dankbarkeit und Respekt. Doch als er dann tot war, durchdrang mich eine große Zuneigung für diesen Mann, der mir viele Jahre den Vater ersetzt hatte. Vielleicht ohne Begeisterung zu zeigen, was seinem Charakter auch nicht entsprochen hätte, wohl aber mit gutem Willen. Ich nahm mir fest vor, alles für das Glück der Meinen zu tun. Sie sollten wissen, wie lieb ich sie hatte und wie sehr mir ihr Wohlergehen am Herzen lag, besonders das der Tante, die Ärmste, denn trotz ihres starken und energischen Charakters war sie ziemlich bedrückt.

Man könnte meinen, in manchen Familien zieht ein Trauerfall den nächsten nach sich. Nur ein paar Monate später, im März 1931, erreichte uns die Nachricht vom Tod meiner Mutter. Jaume wollte mich nach Ermita begleiten, aber die Tante ließ es nicht zu. Es war ja auch ihre Schwester. Also machten sie und ich uns sogleich auf den Weg dorthin.

Den Vater und die Geschwister fand ich in Tränen aufgelöst vor. Und ich, ich konnte es einfach nicht fassen, daß ich mich nicht von dem Menschen hatte verabschieden können, der mich zur Welt gebracht hatte. Da war mir, als würde ich auf einmal meinen Mann verstehen, der immer davon sprach, wie arm wir dran waren …, und wie schwierig es sei, von einem Ort zum anderen zu gelangen, und kamen wir endlich an, war es oftmals schon zu spät.

Nichts und niemand konnte mich trösten. Der Vater war sehr alt geworden seit der Taufe von Angeleta, und meine Geschwister erschienen mir wie entfernte Verwandte. Bei ihnen war ich nicht mehr daheim, ich gehörte jetzt woandershin. Als ich das spürte, sah ich plötzlich mein ganzes Leben vor mir, von dem Augenblick an, als ich mein Elternhaus verlassen hatte. Mir war, als wären die Jahre nur so verflogen, und als hätte meine Mutter vielleicht nie den Schmerz verwunden, eine ihrer Töchter fortzugeben. Doch all das war Vergangenheit, und das Leben ging weiter. Als wir Ermita wieder verließen, waren meine Augen vom Weinen geschwollen und mein Kopf so schwer, und ich dachte bei mir, wer weiß, ob ich je wieder hierher zurückkommen werde. Die Wurzel, durch die ich am tiefsten mit diesem Ort verwachsen war, hatte ich für immer verloren.

Zu Hause in Pallarès war es wegen all der Trauer stiller geworden. Der Krach und der Lärm, den meine Töchter machten, kam mir nicht mehr so laut vor, vielleicht weil sie älter wurden, vielleicht aber auch, weil ich in meine Gedanken versunken war und es gar nicht hörte.

Doch sollte bald eine seltsame Freude unser Haus erfüllen. Es war Jaume, der uns die Nachricht überbrachte. König Alfons XIII. hatte das Land verlassen, und gerade eben war die Republik ausgerufen worden. Ich verstand zwar nicht ganz, weshalb das ein besonders großes Glück sein sollte, aber Jaume strömte über vor lauter Freude, und das war ansteckend. Er zog mich auf die Straße, wo die Leute zusammenstanden, um darüber zu reden. Es war noch recht kühl, doch der Frühling tat sich mit einer traumhaften Sonne hervor. Ich war wie geblendet von soviel Licht und ganz durcheinander von all den Stimmen, die immer wieder nur ein einziges Wort wiederholten: Republik!

Es hieß, am Nachmittag käme jemand aus Montsent hoch zu uns in die Schule, um zu erklären, was es mit dieser Veränderung auf sich habe. Am nächsten Morgen erzählte mir dann die Tante, daß die Augustís sie fast überrannt hätten. Fluchend und

wutentbrannt seien sie aus dem Klassenraum ge-
stürmt. Sie selbst hatte gerade noch sehen können,
wie Jaume mit dem Bildnis des Königs in der Hand
von einem Tisch heruntersprang. An der Wand war
nur ein heller Fleck zurückgeblieben und der Nagel.

Im Frühling und im Herbst, wenn es genug geregnet und die Sonne die Erde wieder erwärmt hat, sprie-
ßen auf den Wiesen wie in Reih und Glied zwei Sorten eßbarer Pilze hervor. Die einen sind erdfarben
und wirken ziemlich zerbrechlich mit ihrem langen geraden Stiel und einem Regenschirmhütchen,
das von unten aussieht wie ein dickes Buch mit vielen Blättern. Die anderen sind weiß, und auf den
ersten Blick kommen sie einem ganz plattgedrückt
vor; ihr Stiel ist kurz und dick, und die Lamellen
sind bräunlich. Frische Röhrlinge und Mairitterlinge sind sehr begehrt, aber beide Sorten lassen sich
in Sieben auch gut trocknen, und dann hat man
eine wertvolle Reserve für den Winter. Getrocknet
verlieren sie zwar viel von ihrem Duft und ihrem
Gewicht, doch eine kleine Handvoll reicht schon
aus, um dem Reis oder irgendeinem Eintopfgericht
mit Kaninchen, Huhn oder einem anderen Fleisch
einen köstlichen Geschmack zu geben.

Sie wuchsen auf den Wiesen in der Nähe des Dorfes, vor allem die Röhrlinge, wenn auch nicht ge-

rade in großer Menge. Brachten wir das Vieh auf die Weide oder waren damit beschäftigt, die Felder zu bewässern, dann nutzte jeder die Gelegenheit, auf seinen eigenen Wiesen nach Pilzen zu suchen. Wollte man aber einen Vorrat für das ganze Jahr anlegen, dann mußte man schon einen Tag lang auf die Suche gehen.

Es war eine ziemlich große Schar von Frauen aus Pallarès, die in jenem Mai 1931 aufbrach, um in den Bergen nach Röhrlingen und Mairitterlingen zu suchen. Unterwegs schlossen sich uns noch die Schwägerin von Jaume an, Agnès, und zwei oder drei andere junge Frauen aus Sarri. Jaume hatte ihnen Bescheid gegeben, daß wir am Mittwoch losziehen wollten. Wir waren bestimmt zehn oder elf Frauen.

Ich traf mich vorher schon mit Delina, und jede von uns hatte zwei Körbe dabei. Ob wir sie wohl füllen würden? Im kleinen Korb trugen wir unsere Vesper. Brot mit Schinken. Wasser würden wir unterwegs genug finden.

Bei Tagesanbruch machten wir uns auf den Weg und waren am Anfang so aufgeregt wie kleine Mädchen. Endlich hatten wir Zeit genug zum Reden, aber als es dann so richtig bergauf ging, sagte keine mehr auch nur ein Wort, um nicht außer Atem zu kommen.

Dieser Ausflug gefiel mir gut, denn wie ich so inmitten der Wiesen dem dunklen Gras der schmalen

Pfade folgte, da spürte ich nichts anderes als diese fast kindliche Vorfreude, lichte Stellen voller Pilze zu finden und rasch meinen Korb zu füllen. Der Weg war beschwerlich, aber nach dem steilen Anstieg ging es hinterher ja nur noch bergab, und das war leicht zu schaffen. Von oben schienen all die kleinen Dörfer mit ihren schwarzen Dächern zum Greifen nah, hier und da stieg Rauch aus einem Schornstein, wie um zu zeigen, daß dort jemand lebt. Mit glühenden Wangen und schweißkaltem Hals legten wir eine Rast ein, bevor wir uns so richtig auf die Suche nach den köstlichen Pilzen machten. Wer wollte schon das Festtagsragout auf den Tisch bringen, ohne dazu eine schmackhafte Soße aus Röhrlingen zu reichen? Besonders feine Gaumen bevorzugten allerdings die Mairitterlinge, die man unter das Rührei mischte, weil sie so zart waren.

Elvira wäre gerne mit uns gegangen, aber ich wollte lieber, daß sie im Haus half. Sie war schon eine richtige kleine Frau und hatte ein sanftmütiges Wesen, wenn da nur nicht ihre schlimme Eifersucht gewesen wäre. Ich sprach mit Delina darüber und war sehr erschrocken über das, was sie mir erzählte. Sie hatte nämlich gehört, wie vor Angeletas Geburt ein paar Frauen, die auf dem Dorfplatz einen kleinen Schwatz hielten, die Sebastiana, die Augusta, die Großmutter der Jous, die Frau des Bäckers und noch ein paar andere, zu den Kindern sagten, sie sollten froh sein, wenn sie kein Geschwisterkind hätten, sobald sie nämlich eines bekämen, ganz egal ob Junge oder Mädchen, würde ihnen das Lachen schon vergehen. Solche Bemerkungen hatte Elvira ein paar Mal mitbekommen. Und auch noch schlimmere Dinge: daß man sie dann nicht mehr liebhaben würde, daß die Mutter nur noch für das Neugeborene da wäre und daß sie im besten Fall alles mit dem Geschwisterchen teilen müßten.

Ich war wie erschlagen, und Elvira tat mir leid. Wenn ich das gewußt hätte, hätte ich sie mitgehen lassen, auch wenn mir ein so beschwerlicher Weg für ein zartes Persönchen, wie sie es war, viel zu anstrengend erschien. Ich konnte die Leute einfach nicht verstehen. Warum machten sie so etwas?

Was für ein Glück nur, daß wir so viele Pilze fanden, wegen all dieser Gedanken wäre mir sonst recht schwer ums Herz gewesen. Aber Pilze gab es genug. Ganz so, wie wir es uns erhofften: Es hatte geregnet, dann hatte die Sonne geschienen, und jetzt bot die gesättigte Erde ihre Gaben feil. Die Tante würde Augen machen. Was für eine Freude, mitten im Gras Mairitterlinge und Röhrlinge zu entdecken!

Und wieder zog ein Sommer ins Land. Völlig unverhofft begann die ganze Arbeit, die einem bis Ende August keine einzige Verschnaufpause mehr gönnte. Danach machten vier Donnerschläge der Hitze den Garaus, und nur um die Mittagszeit war es noch etwas heiß, und auch nur dann, wenn sich gerade keine Wolke vor die Sonne geschoben hatte.

In jenem Sommer 1932 kamen die Vettern aus Barcelona nicht zum Patronatsfest hinauf, und doch habe ich es als eins der schönsten Feste in Erinnerung. Jaume wollte keinen einzigen Tanz versäumen; für jung und frischverliebt hätte man uns halten können. Ich sehe noch vor mir, wie wir uns im Takt der Musik drehen, und noch immer spüre ich den frischen Lufthauch auf meiner heißen Wange. Der Blumenstraußtanz, der Tanz der Verheirateten … keinen einzigen ließen wir aus. Und nach dem Abendessen gingen wir wieder zum Fest zurück und tanzten weiter bis in die frühen Morgenstunden. Ich mußte die ganze Zeit an unseren allerersten Tanz denken. Ob es Jaume auch so ging? Wie damals spürte ich ringsherum wieder viele Blicke auf uns gerichtet. Sprach aus ihnen so etwas wie Neid? Jaume achtete nicht darauf, schien sich ganz diesem einen Augenblick hinzugeben und sonst nichts. In seinen Armen fühlte ich mich sicher und geborgen, als sei ich das Allerwichtigste für ihn. Das machte mich glücklich, und gleichzeitig machte es mir Angst. Ein schrecklicher Gedanke durchfuhr mich. Ohne ihn, was wäre ich da? Aber das Akkordeon hörte nicht auf zu spielen, und ich, ich schien an den Füßen Flügel zu haben und drehte mich immer weiter.

Die ersten Töne des Potpourris erklangen, das das Ende der Tanzveranstaltung am Nachmittag ankündigte, und noch heute meine ich, Angeleta zu sehen, wie sie uns einen verstohlenen Blick zuwirft, als mich ihr Vater zum Tanzen holt. Und dann, mittendrin, Elvira, die vor einem Burschen steht, der ein gutes Stück größer ist als sie. Ganz ernst schaut sie ihn an. Mit ihren zwölf Jahren war sie wie eine Rose kurz vor dem Erblühen. Kastanienfarbenes Haar, wellig und seidig glänzend, das sie noch immer zu zwei Zöpfen geflochten trug, honigfarbene Augen, um die Nase herum Sommersprossen und über dem Kinn ein Mund mit schmalen und schön geschwungenen Lippen. Dann sehe ich wieder Angeletas Lockenkopf, die mit einem etwas größeren Mädchen herumwirbelt, und dann wieder Elvira, die mir zuwinkt und lächelt. Bevor die letzten Melodien erklingen, sage ich Jaume, daß ich wieder guter Hoffnung bin, und bei all dem Lärm weiß ich nicht, ob er mich verstanden hat. Er dreht mich weiter im Kreis, ich kann seine Augen nicht sehen, nur den Flaum neben seinem Ohr, und als sie aufhören zu spielen, da gibt mir sein Lächeln den verlorenen Atem zurück. Ob es dieses Mal ein Junge wird?

Ja, ich würde gerne einen Jungen haben. Die Mädchen waren ja schon groß, und das hatte, einmal abgesehen vom ersten Jahr, keinerlei Mühe gemacht. Aufgewachsen waren sie unter dem strengen Blick der Tante – Großmutter sagten sie zu ihr –, einem Vater, den sie verehrten, der aber oft nicht daheim gewesen war, und einer Mutter, in der sie eigentlich eher eine große Schwester sahen. Und die sich, genauso wie die beiden, den täglichen Anordnungen der Tante fügte, sogar wenn es gegen das Wohl der Töchter ging. Ich dachte an meinen letzten Kummer, mit dem ich ganz allein fertig werden mußte. Onkel und Tante hatten den Kindern die Milch vorenthalten, weil sie die vor allem für die Kälbchen brauchten, und ich hatte nicht protestiert. Schlimmer noch, um einen Krach aus dem Weg zu gehen, hatte ich Jaume nichts davon gesagt.

Ich wollte einen Jungen. Ich weiß nicht, warum das so war. Vielleicht, damit er uns später beschützt. Vielleicht aber auch, damit er einmal nur das tut, was er für richtig hält, damit er nicht sagt, alles sei schon gut, wenn es doch schlecht ist, damit er aus schwarz nicht weiß macht.

Vor dem Abendessen gingen wir mit den anderen Paaren noch etwas trinken. Es war ziemlich viel los. Aleix aus Sarri schloß sich uns an und kam auf das Wasser für die Häuser am Südhang des Dorfes zu sprechen. Jaume sagte ihm, er könne auf ihn zählen, gleich am Montag würde er sich darum kümmern. Es ging darum, das Wasser vom Nordhang, das dort reichlich vorhanden war, zu den Weiden und Häusern am Südhang des Dorfes zu leiten. Das Problem war nur, daß man es über ein Stück Land der Alimbaus führen mußte. Die gehörten zu den Reichen im Dorf und wollten nichts davon wissen. Jaume meinte, wenn es keine andere Möglichkeit gebe, müsse man eben vor Gericht ziehen.

Frisches Wasser, das aus der Quelle von ganz oben sprudelt, das von einer Wiese zur anderen fließt, das die Spülsteine und Waschtröge füllt!

Wir tranken Wein und aßen von der Wurst, die wir bestellt hatten, und dann machten wir uns gemächlich auf den Heimweg. Langsam wurde es kühl, und wenn wir noch einmal zum Tanzen gehen wollten, wäre es sicher besser, einen Schal mitzunehmen.

Jaume bekam man die ganze Zeit über kaum zu Gesicht. Er war zum Friedensrichter ernannt worden und fand, dies sei der richtige Augenblick, um die Wasserleitungen nach Sarri de Dalt zu legen.

Er hatte sich der Esquerra Republicana angeschlossen, das war die Partei, die die Regierung der Generalitat bildete. So hatte er es mir erklärt. Diese Regierung hatte ihren Sitz in Barcelona und verhandelte mit der von Madrid. Ihr Präsident kam aus Lleida und hieß Lluís Companys. Das war ein Mann, der die arbeitenden Menschen achtete und vor allem die kleinen Bauern. Menschen wie wir eben, sagte Jaume. Wenn ich ihm zuhörte, klang alles so einfach, aber ich hatte ein merkwürdiges Gefühl, weil er dieser Partei beigetreten war …, und wenn ich ehrlich bin, machte ich mir deshalb ein wenig Sorgen. Nicht daß am Ende Pfarrer Miquel dieses Mal doch recht behalten sollte und Jaume sich da in eine Sache hineinziehen ließ, nur weil er etwas ändern wollte, was einfach nicht zu ändern war … Ich sagte kein Wort zu all den Erklärungen, die Jaume mir gab, und er, als er merkte, daß ich ein wenig verstimmt war, meinte zu mir: Sorg dich nicht, Frau, ich mach das doch alles nur zu unserem Besten. Und dann schlug er mir vor: Wenn wir heute Nachmittag das Heu auf der Wiese von Solau wenden, könnten wir dort im Fluß doch auch gleich ein paar Fische fangen.

Wie schnell doch die Schatten der Forellen unter den Steinen verschwanden. Elvira war schlau wie ein Fuchs, sie hatte gelernt, mit bloßen Händen zu fischen, und kaum eine Forelle entwischte ihr. Und das, ohne zu einer List zu greifen. Wenn man nämlich mit einem Bündel Wollkraut auf das Wasser schlägt, dann schwimmen die Fische nach einer Weile wie betrunken herum und lassen sich ganz einfach fangen, auch wenn die Hände noch so ungeschickt sind. Aber das ist kein ehrlicher Wettstreit, darauf kann man nicht stolz sein, sagte Elvira. Das ist bloß hinterhältig.

Acht Forellen fingen wir an jenem Abend. Das war gar nicht schlecht. Dunkelgraue Schuppen mit kleinen schwarzen Tupfen und am Bauch silberfarben. Auf einem heißen Stein und mit kleinen Schinkenstückchen zubereitet, wie gut das schmeckte! Die Tante würde Salat bringen, Eingemachtes, Brot und Wein.

Während die anderen noch damit beschäftigt waren, das restliche Heu zu wenden, ging Angeleta mit mir, um Futter für die Kaninchen zu schneiden. Beim Auf-sammeln fand die Kleine plötzlich Walderdbeeren; gleich war sie völlig ins Pflücken vertieft, rümpfte ihr Näschen und schürzte die Lippen. So winzig, so rot, wohlriechend und weich, die Beeren zerfie-len fast, wenn man sie zu fest in die Hand nahm … Die kleinen, lebhaften Augen von Angeleta, auch sie hatten die Farbe von Honig, und ihre Stimme, ganz aufgeregt: Mutter, hier sind ja so viele!

Die Engel in der Kirche von Pallarès hatten keine Augen auf den Flügeln. Ich muß gestehen, daß ich von Religion nicht viel verstand, und während der Predigt von Pfarrer Miquel verlor ich gleich den Faden. Wenn er anfing zu reden, dann sprach er lang und breit und ohne Punkt und Komma, und wenn er endlich zum Ende kam, dann war ich in Gedanken schon längst zu Hause, auf den Wiesen oder noch weiter weg, bei den Augen der Engel von Ermita, die mich als Kind immerzu angeschaut hatten, damit ich ihnen sagte, ob ich auch wirklich artig gewesen sei.

An jenem Sonntag aber war die Predigt von Pfarrer Miquel durchaus von dieser Welt, und als er anfing, von den Männern in unserem Dorf zu reden, da klammerte ich mich an seine Worte wie an die Zügel eines Pferdes. Er sagte, die von Gott geschaffene Ordnung der Dinge dürfe man nicht ins Wanken bringen. Von Tag zu Tag fühle sich der Mensch überlegener, und er hinterfrage nicht mehr, ob er mit seinem Tun vielleicht der göttlichen Vorsehung zuwiderhandle. Schließlich habe unser Herrgott selbst doch ganz genau bestimmt, wie der Weg zu verlaufen hat. Als ich das mit dem »verlaufen« hörte, mußte ich gleich an das Wasser aus Sarri denken. Aber das war ja Unfug, das konnte er ja gar nicht meinen. Dann sagte er noch: Die herrschende Ordnung muß man annehmen, ganz egal, ob man von Geburt aus reich oder arm, ob man gesund oder krank ist. In der Stunde unseres Todes sind wir vor Gottes Angesicht alle gleich. Und das allein zähle. Und die Männer, die seit einiger Zeit so viel von Freiheit und Gerechtigkeit redeten, hätten nichts anderes im Sinn, als alles auf den Kopf zu stellen, und würden dabei den Verstand verlieren und Gefahr laufen, für alle Ewigkeit der Verdammnis anheimzufallen. In der ersten Reihe, ganz in der Nähe der Kanzel, nickte die Großmutter der Sebastiàs, so als sei sie mit allem einverstanden. Schließlich wandte sich Pfarrer Miquel noch direkt an uns Frauen und ermahnte uns, wir müßten unsere Männer zu Gott führen und sie wieder auf den rechten Weg bringen, wenn sie drohten, davon abzukommen. Täten wir das nicht, träfe die Strafe Gottes die ganze Familie.

Als er mit seiner Predigt fertig war, stieß mich die Tante mit dem Ellenbogen an und warf mir einen vielsagenden Blick zu. Vor der Kirche meinte sie zu mir, Pfarrer Miquel sei schon immer den Reichen in den Arsch gekrochen, und nun würden sie ihn dazu bringen, sich in Dinge einzumischen, die ihn rein gar nichts angingen. Da wurde mir klar, daß die Predigt sehr wohl auch auf mich abgezielt hatte. Die Tante sagte einfach ganz unverblümt, wie es war, um so mehr wollte ich den ganzen Wortschwall des Pfarrers so schnell wie möglich vergessen. Ich hatte auch an genug anderes zu denken, mit all der Arbeit daheim und mit meinem dicken Bauch. Der gab Anlaß zu allerlei Gesprächen, als wir aus der Kirche herauskamen, zu freundlichen Bemerkungen, aber auch zu manch schrägem Blick.

Die Mädchen waren glücklich darüber, ein Geschwisterchen zu bekommen, das hatte sie einander nähergebracht, und die eine strickte ihm Söckchen, und die andere nähte ihm ein Baumwollhemdchen. Ich fühlte mich schwerfällig, besonders die geschwollenen Beine machten mir zu schaffen, und der Tag schien nie ein Ende zu nehmen, obwohl mir Elvira eifrig zur Hand ging. Wenn es ein Junge werden sollte, hatte Jaume schon einen Namen für ihn. Mateu würde er heißen. Wie Jaumes Vater. Würde es ein Mädchen, wollte er, daß sie so heißt wie ich. Den Namen Mateu mochte ich wohl, doch je nachdem, wie er ausgesprochen wurde, ließ er mich an den Tod denken, und dann gefiel er mir nicht mehr. Aber ich ertappte mich oft dabei, wie ich diesen Namen vor mich hinsagte, und nach und nach gewöhnte ich mich daran. Und wenn es nun doch kein Junge würde? Soledat mit ihrem hämischen Blick hatte nichts zu mir gesagt, und das ließ mich hoffen.

Ich hatte geträumt. Ich war auf einem Fest, und als die Musik aufhörte zu spielen, schaute ich meinen Tänzer an, und er hatte kein Gesicht. Ich war mir sicher, daß ich mit Jaume tanzte, doch seine Gesichtszüge lösten sich auf … Der Platz war voller Menschen, aber alle, die ich dort sah, waren mir fremd. Nur Martí von den Sebastiàs kannte ich, der oben auf dem Dach Musik machte. Schweiß strömte über sein Gesicht, er lachte wie von Sinnen und fletschte dabei die Zähne. Ich wollte weglaufen, doch meine Beine waren wie gelähmt. Da fühlte ich in meiner Hand die kleine Hand von Mateu, der mich mit sich fortzog, und dann war ich auf der Treppe vor unserem Haus, ganz allein.

Ich hatte mich im Bett aufgesetzt, kurz davor loszuschreien. Draußen war es noch gar nicht richtig hell. Jaume war bereits aufgestanden, an diesem Tag hatte er in Sarri zu tun.

In meinem Traum schien Mateu schon ein wenig älter, sechs Jahre vielleicht, und dabei war er doch erst drei. Seine Hand aber, die wirkte ganz klein. Ich hatte noch immer das Gefühl, sie zu spüren, und noch immer lag ich im Bett: die Augen starr auf die Wand gerichtet, mit völlig zerzaustem Haar.

Mit einem Satz sprang ich schließlich auf und begann voller Schwung den neuen Tag. Ich war so erleichtert, weil es ja nur ein Traum war! Die Arbeit, die für heute anstand, schreckte mich nicht. Die Zimmer mußten für die Vettern aus Barcelona hergerichtet werden. Bis sie kommen sollten, war es zwar noch ein paar Tage hin, aber seitdem die Tante den Brief gelesen hatte, gab es kein Halten mehr. Soviel Arbeit, dein Mann immer unterwegs, und bald werden wir das Haus voller Leute haben.

Anstatt Ende August wollten sie schon vorher hochkommen, so in der zweiten Julihälfte. Ventura war krank gewesen, und das Klima in Barcelona bekam ihr gar nicht.

Wir hatten uns einen gründlichen Hausputz vorgenommen, Jaume würde die Wände mit Kalk weißen und ich am Vorabend des Marienfestes die Betten beziehen.

Es war nur schwer zu verstehen, weshalb die Tante schlechte Laune hatte, wo sie sich doch eigentlich so sehr auf den Besuch freute. Vielleicht lag es daran, weil einiges zusammengekommen war. Jaume steckte bis über beide Ohren in Arbeit, und Elvira stand seit dem Frühjahr in Dienst bei den Pujalts in Montsent. Dort lernte sie, wie man ein großes Haus führt und feine Speisen zubereitet. Und jeden Tag bekam sie zwei Stunden frei, damit sie zum Nähunterricht gehen konnte. Zum einen war das ganz im Sinne der Tante, zum anderen aber war es ihr einfach zuviel, obwohl Angeleta ihr half, so gut sie nur konnte. Sie war fleißig und fügsam, nur eben nicht so tatkräftig wie Elvira. Man mußte ihr sagen, was sie zu tun hatte. Doch um ehrlich zu sein, war sie manchmal schon allein mit Mateu genug beschäftigt. Wasch ihn, zieh ihn an, mach ihm das Frühstück, paß auf der Straße auf ihn auf; jetzt geht und füttert die Kaninchen; holt eine Handvoll Mangold aus dem Garten. Nachher gehen wir aufs Feld und zählen die Pappeln. Wir pflücken Blüten vom Seifenkraut, vom Johanniskraut und dann noch Kapuzinerbart und Heckenrosen, und paß bloß mit den Brennesseln auf! Nein, die Sichel darfst du noch nicht nehmen. Da mußt du erst noch wachsen: groß wie ein Kirchturm werden und stark wie ein Stier. Angeleta geht jetzt allein die Kühe hüten, und um die Mittagszeit bringt uns die Tante etwas zu essen. Suppe, ein Stück Schinken und Salat. Du darfst noch keinen Wein trinken. Nur Wasser. Komm, wir schauen, ob die Walnüsse schön dick werden und ob die Haselnüsse auch reifen, und dann mach' ich dir ein Bett unter dem großen Nußbaum, damit du schläfst, während Mutter ihre Arbeit erledigt. Vater wird etwas später kommen, denke ich.

Daß die Augustís Jaume gerade jetzt, mitten im Sommer, Arbeit gegeben haben …, aber man kann schlecht nein sagen. Und schon gar nicht zu diesen Familien, die so tun, als täten sie dir einen Gefallen. Jedes Jahr helfe ich ihnen beim Schlachten, und dann heißt es immerfort Conxa hier, Conxa da, sie wissen schon gar nicht mehr, was sie mir noch alles auftragen können. Und wenn du dann mit der Arbeit fertig bist, tun sie so, als würden sie dich nicht mehr kennen.

Plötzlich sehen wir, wie Delina auf uns zukommt und dabei aufgeregt mit den Armen herumfuchtelt. Mateu lacht. Ganz erhitzt ist sie, rot wie ein Hahnenkamm. Sie redet sofort drauflos. Ich wollte dir nur sagen, daß ich auf dem Markt den Großvater von den Sastres aus Torve getroffen habe. Er hat mir aufgetragen, ich soll euch ausrichten, daß sie für ihren Erstgeborenen ein Auge auf eure Elvira geworfen haben. Und sie fügt hinzu: Das ist eine gute Familie, überlegt euch das nicht zu lange.

Ich bin ganz verblüfft. Sie ist doch noch nicht einmal sechzehn …, und daß mir gerade Delina diesen Rat gibt, die ja nie heiraten wollte und deshalb bald ihrem Bruder den Pfarrhaushalt führen wird.

Sie redet weiter. Wenn ihr einverstanden seid, könnt ihr euch am nächsten Montag auf dem Markt wegen der ersten Zusammenkunft einig werden. Sieh zu, daß du deinen Mann überzeugst. Ich muß jetzt los, denn bei uns ist eine Kuh kurz vorm Kalben …

Sie läßt mich einfach stehen, und mir ist, als hätte ich Prügel bezogen. Eilig geht sie auf ihr Haus zu. Ich denke an Elvira. Womöglich vergeht die Zeit einfach ein wenig zu schnell. In diesem Augenblick kommt mir wieder mein Traum in den Sinn, und ich spüre, wie mir ganz kalt ums Herz wird.

Barcelona, den 20. Juli 1936

Frau
Encarnación Martí
Liebe Base und Familie!

Ich hoffe, daß Euch diese Zeilen bei guter Gesundheit erreichen, wie auch wir uns, Gott sei Dank, bester Gesundheit erfreuen.

Soeben haben wir Euren Brief erhalten, in dem Ihr Euch nach unserer Ankunft bei Euch oben erkundigt. Für den Augenblick haben wir beschlossen, Euch wissen zu lassen, daß wir nicht kommen werden. Die Nachrichten über den Aufstand haben uns etwas beunruhigt, und angesichts der unsicheren Lage denken wir, daß es besser sein wird abzuwarten, bis wieder etwas mehr Ruhe eingekehrt ist, um eine Reise anzutreten.

Glaubt nicht, daß uns dieser Entschluß leichtgefallen ist. Ventureta hat sich so gefreut, und jetzt weint sie nur und sagt, daß sie hoch will zu Euch.

Gott sei Dank geht es ihr schon viel besser, so daß die Reise aus diesem Grund nicht mehr unbedingt notwendig ist. Aber Ihr könnt uns glauben, wie sehr wir das alles bedauern. Die Tage bei Euch, die wir so herbeigesehnt haben, die Ausflüge und das gute Essen dort oben werden wir wirklich sehr vermissen. Es tut uns leid, daß Conxeta bereits die Zimmer hergerichtet hat, aber man muß sich eben fügen, so es denn Gottes Wille ist.

Wir werden Euch etwas Stoff schicken, den wir gekauft haben, um den Mädchen ein Kleid zu nähen. Aber was heißt Mädchen, Elvira wird ja sicher schon ein richtiges Fräulein sein und Ángela bestimmt auch.

Wir hoffen zum Wohle aller, daß nichts Schlimmes geschehen wird und wir noch im August hochkommen können.

Ich mache Schluß für heute und schicke Euch eine Umarmung von uns allen hier und ganz besonders von Ventura und meiner Frau Elisa. Euer Vetter, der Euch von ganzem Herzen verbunden ist,

Tomás Olivella

Seit die Nachricht vom Militärputsch in Afrika zu uns gedrungen war, ging alles drunter und drüber. Die Vettern kamen nicht zu uns herauf. Die Tante lag mit einer Magenverstimmung im Bett und fühlte sich wie zerschlagen, und Jaume, zwischen all der Arbeit draußen und den Fahrten nach Sarri, wo sie gerade die letzten Wasserleitungen verlegt hatten, war kaum daheim. Pfarrer Miquel tat nichts anderes als zu verkünden, ganz gleich ob von der Kanzel oder auf der Straße, daß in all dieses Durcheinander unbedingt wieder Ordnung gebracht werden müsse und diese Republik ein einziges Desaster sei. Seine Predigten dauerten länger als die Messe an sich; man hätte meinen können, der Mann wolle weiter nichts, als seinem Herzen Luft machen, denn was er da sagte, hatte mit der für den Tag vorgesehenen Lesung nicht das Geringste zu tun. Zudem hatte ich fast jede Nacht wieder diesen schrecklichen Traum. Nur für die Kinder ging alles seinen gewohnten Gang. Elvira war glücklich mit ihrer Stelle als Hausmädchen in Monsent. Sie würde so viel lernen, sich dort

so wohl fühlen; im Nähunterricht hätte man ihr sogar beigebracht, wie man sich ein Kleid zuschnei-
det … Mateu, mager wie eh und je, aber zäh wie
Leder. Und Angeleta, die arme Kleine, die mir bei
allem und jedem zur Hand ging.

Nach und nach erfahren wir mehr. Im Süden von
Spanien wird gekämpft, es gibt Tote … Aber man
spricht auch von Ungeheuerlichkeiten, die in Barcelona geschehen. Daß sich die Priester verstecken müssen. Unser läßt sich seit zwei Tagen nicht mehr blik-
ken. Jaume ist außer sich; er wiederholt ständig, daß
man das, was das Volk in einer freien Wahl entschieden hat, nicht einfach rückgängig machen kann, auch
nicht mit Waffengewalt. Was für ein Volk? Volk, das
soll heißen die Menschen, alle Männer und Frauen,
die in diesem Land leben. Bei solchen Gesprächen
verschlägt es mir den Atem. Besser ich frage nichts.
Heute hat Jaume mich schon ausgescholten, weil ich
ihm gesagt habe, daß sie um die Hand von unserer
Großen angehalten haben. Als ob ich schuld daran
sei, daß sich ein Junge aus reichem Haus mit unserer
Elvira verheiraten will. Ich sag' doch selbst immer
wieder, daß sie ja noch ein Kind ist; aber er war
fuchsteufelswild. Ob sie mir vielleicht lästig falle?
Lästig, meine eigene Tochter? Und dann hat er gegen
die anderen gewettert und geschrien, was die bloß
von einem sechzehnjährigen Mädchen wollen? Ob
diese Welt denn völlig verrückt geworden sei?

Große Tränen rollen mir über die Wangen. Ich spüre, wie sich mein Herz zusammenkrampft. Unter dem Vorwand, daß ich noch am Fluß die Wäsche machen muß, gehe ich aus dem Zimmer. Jaume ist jetzt ganz still. Ich lasse ihn allein, und er starrt auf die Fensterscheiben.

Dritter Teil

Das Holpern machte mich schläfrig, und doch war ich hellwach. Das war jetzt kein Traum mehr. Auf der einen Seite Elvira, auf der anderen Angeleta und um mich herum so viele Gesichter. Alle fremd, alle schweigsam, mit verlorenem Blick. Nein, das war kein Traum. Das war die Wirklichkeit.

Um die Mittagszeit hatten sie an die Tür geklopft und auf Spanisch nach der »Ehefrau und den Kindern von Jaume Camps« gefragt. Die Tante hatte ihnen auf alles furchtlos Antwort gegeben. Ich hatte nur ihren Befehlen gehorcht. Daß ich mit meinen Kindern auf den Lastwagen steigen sollte. Daß wir etwas Essen für den Tag mitnehmen konnten. Und alles mußte ganz schnell gehen. Die Tante hatte Elvira im letzten Augenblick noch eine Matratze gegeben. Mir schien das übertrieben, aber ich sagte nichts. Ich schaute auf die Waffen und auf diese hochgewachsenen, kräftigen Burschen, die wiederum verstohlene Blicke auf meine Große warfen. Ich tat nichts anderes, als ihren Anweisungen zu folgen. Die Großmutter der Familie Jou war gekommen und hatte sie angefleht, Mitleid mit dem Kleinen zu haben, sie sollten ihn doch bei seiner Großmutter lassen, gerade mal sechs Jahre sei er alt und außerdem krank. Sie hatten sie einfach beiseite geschoben, aber nicht nach dem Kind verlangt, das sich an das schwarze Kleid der Tante klammerte wie ein Blatt, das vom Wind gegen einen alten Baumstamm gepreßt wird.

Und keine Nachricht von ihm, von Jaume. Bei Tagesanbruch hatten sie ihn geholt. Ich lag noch im Bett und auch die Mädchen und der kleine Mateu. Ich glaube, sie haben nichts mitbekommen. Drei kurze, heftige Schläge an die Tür: »Ist das das Haus von …«, dann seinen vollständigen Namen und schließlich, »unter der Republik Friedensrichter der Gemeinde Pallarès … soll mitkommen.« Während ich mir schnell etwas überwarf, dachte ich, wie sehr doch die Frau des Bäckers am Abend zuvor recht gehabt hatte. Geh fort, Jaume, hör auf mich. Ich hab' munkeln gehört, daß sie jeden einzelnen von euch holen wollen, der sich irgendwie für die Republik hervorgetan hat. An der Brücke von Algorri hat man die Wachposten getötet, seitdem sind sie auf Rache aus. Und Jaume: Ich habe nichts Unrechtes getan, warum sollte ich mich verstecken?

Und jetzt … Er umarmt mich, das Haar noch ganz zerzaust, leb wohl, und ich weine nicht, aber mir ist, als hätte man mir die Seele aus dem Leib gerissen. Und er sagt nur, ihr müßt keine Angst haben …

bleibt ganz ruhig. Und ihn von hinten zu sehen, wie er von den Soldaten abgeführt wird … So viel kleiner als sonst kam er mir vor. Das Dorf schien wie leergefegt. Niemand war auf der Straße. Roseta von den Sebastiàs lehnte sich zum Balkon hinaus. Die hatte keine Angst, grinste höhnisch, als sie unter ihr vorbeizogen. Auch die Haushälterin des Pfarrers öffnete ihre Balkontür, aber sie schaute sich nur vorsichtig um, ohne sich sehen zu lassen. Ich bin mir sicher: Hinter jedem Fenster gab es ein Augenpaar, das alles genau verfolgte.

Jetzt, auf dem Lastwagen, nähert sich mir Mundeta aus Sarri, und ich erkenne auch andere Gesichter. Sie sagt mir, daß man uns nach Monsent bringt. Was wird nur aus uns? Ihren Sohn haben sie auch heute Morgen geholt. Mundeta ist schon älter, ihr Haar ist weiß und ihr Blick so müde. Da sind Leute aus Torve, aus Sant Damià, aus vielen Dörfern im ganzen Umkreis. Eine Frau erinnert sich an mich aus Ermita und sagt mir, daß der Vater sehr alt geworden sei, aber daß es ihm und meinen Geschwistern gut gehe. Ich höre das alles, so als ob ich unter einem großen Dach sitzen würde, und der Regen rauscht an dir vorbei, und du wirst nicht naß, bekommst keinen einzigen Tropfen ab. Und ich freue mich und empfinde doch keine Freude.

Sie bringen uns ins Gefängnis von Montsent. Ich wußte noch nicht einmal, wo das lag. Nichts zu wissen, das ist das Schlimmste. Elvira müht sich ab, sie spricht sogar mit den Wärtern. Junge Männer sind das, die meisten von ihnen mehr oder weniger in ihrem Alter. Sie macht das, wozu ich nicht fähig bin. Ich fühle mich wie ein Stein im Geröll. Wenn irgend jemand oder irgend etwas mich anstößt, werde ich mit den anderen fallen und herunterrollen; wenn mir aber niemand einen Stoß versetzt, werde ich einfach hierbleiben, ohne mich zu rühren, einen Tag um den anderen …

Angeleta hat sich an meinen Rock geschmiegt, und auch sie rührt sich nicht. Wir sind nur Frauen und Kinder. Bestimmt um die fünfzehn. Eins haben wir alle gemeinsam: Sie haben uns jemanden wegge- holt. Zuerst sagt niemand etwas. Doch dann, noch voller Scheu, fängt irgend jemand an zu reden.

Aus unserer Gegend, die die Franco-Truppen schon besetzt hatten, versuchten einige Familien zum ande- ren Flußufer zu gelangen, das noch in republikani- scher Hand war. Nur die Brücke von Algorri mußte man überqueren. Und nach dem Tod der Wachpo- sten gestern Nacht war der Weg frei. Es heißt, bei allen reichen Familien im Tal hätte man Erkundi- gungen eingezogen, um die Unsrigen aufzugreifen, und daß auch irgendein Geistlicher Namen genannt hätte. Jetzt fällt ein feiner Regen, der mich bis auf die Knochen durchnäßt, und ich bin ihm schutz- los ausgesetzt. Ein gewaltiges Zucken zerreißt mich ohne jeden Laut. So viel Schuld haben wir auf uns geladen, mein Gott, daß Du so viel Leid über uns kommen läßt?

Gegen Abend teilen sie uns in einem Napf einen Löffel Brotsuppe aus, ohne einen einzigen Tropfen Öl. Mir ist, als würde ich dürre Zweige hinunterschlucken, so trocken ist meine Kehle. Angeleta beginnt, sich ein wenig umzuschauen, und spielt mit einem kleineren Mädchen. Elvira sagt ab und zu etwas zu mir. Ihre Gelassenheit beruhigt mich. Ich glaube, so sagt sie, wir werden die Nacht hier verbringen.

Ob es regnen wird? Durch das Gitter über unseren Köpfen sieht man ein Stück Himmel. Wie langsam die Zeit doch vergeht, wenn man wartet und nicht weiß worauf!

Ich sehe Elvira, wie sie mit den Soldaten spricht, die an der Tür Wache halten. Jetzt lassen sie sie hinausgehen. Was geht da vor? Die Leute schauen mich an, argwöhnisch oder mitleidig, ich weiß es nicht. Da ist sie schon zurück. Zwei Matratzen hat sie bei sich. Sie kommt auf mich zu. Sie hat mit der Tante gesprochen. Der Kleine ist bei Delina, da ist er gut aufgehoben. Die Tante hat ihr auch gesagt, daß sie im Pfarrhaus vorstellig geworden ist und bei der Familie, bei der Elvira in Dienst stand, einfach überall, wo sie dachte, daß man uns helfen kann. Gehört hat sie aber noch nichts. Wie mutig sie ist, die arme Frau …

Die Mittagszeit ist schon vorbei, und wir haben nichts zu essen bekommen. Soll das heißen, daß sie uns freilassen werden?

Ich bin etwas gefaßter. Da müssen wir durch, und wer weiß, vielleicht sind wir ja schon ganz bald wieder zusammen und reden über unsere Angst und Not, als sei alles bereits Schnee von gestern.

Wieder sind wir auf einem Lastwagen. Ich glaube, es ist derselbe wie am Tag zuvor. Elvira spricht mit den Soldaten … Sie sind zum Scherzen aufgelegt. Es geht bergab, ins Tal hinunter. Alles sieht so schön aus, wie ist es da möglich, daß jemand leiden muß, so arm und unbedeutend er auch sein mag. Überall hört man Vogelgezwitscher, zu unserer Linken schimmert der Fluß, und die Sonne hat schließlich doch die Wolken vertrieben und scheint nun so stark wie im Sommer. Die Pinien dort oben, die Eschen und Pappeln am Straßenrand, sie stehen ganz still. Nur wir bewegen uns. Hinunter, immer weiter hinunter. Nirgendwo ist jemand zu sehen, auf der Straße nicht und auch nicht in den Dörfern, durch die wir fahren. Nur Gruppen bewaffneter Soldaten, so wie die, die uns bewachen. Und wir, ohne zu wissen, wohin man uns bringt. Still müssen wir sein. Wir haben noch ein Stück Brot und teilen es mit denen neben uns. Zwischen uns hier gibt es keine Unterschiede. Alle sind wir gleich, wie eine Familie, eine so unglückliche Familie. Ich sammle die Brotkrümel ein, die auf meinen Rock gefallen sind, einen nach dem anderen. Das ist gar nicht so leicht, weil alles so schaukelt. Ich habe keinen Hunger, aber wer weiß, wann ich wieder Brot essen kann, das wir selbst gebacken haben …

Eine ganze Weile stehen wir jetzt schon. Ich weiß nicht, worüber sie so lebhaft miteinander reden. Elvira rückt näher an mich heran und flüstert mir ins Ohr, daß wir nach Noguera fahren, so scheint es zumindest. Daß wir dort vermutlich die Nacht verbringen werden. Ich schaue sie an, und sie kommt mir vor wie ein Engel, so schön ist sie. Selbst ungewaschen und ungekämmt. Von allen dreien ist sie ihrem Vater am ähnlichsten … Und er, wie es ihm wohl geht, der Ärmste, bestimmt denkt er viel an uns.

Ich war noch nie in Noguera. Eine große Stadt ist das. Kreishauptstadt. Hier sind Menschen zu sehen. Aus sicherer Entfernung schauen sie uns an, so als ob wir Aussätzige wären. Aber das sind wir ja auch, mit all unserer Angst, all der Ungewißheit, all dem Schmerz … Jetzt heißt es, das Gefängnis sei voll. Bis morgen müssen wir in einem Raum bleiben, der über der Bushaltestelle liegt. Zum Glück ist er groß genug. Wir bleiben nah beieinander, ganz instinktiv, damit wir uns gegenseitig helfen können. Wir sind erschöpft und machen uns daran, unsere Matratzen auszurollen. Aber was soll das? Elvira wirft sich mir an den Hals und drückt mich so fest, daß ich fast keine Luft mehr bekomme. Und sie weint und weint … Kein Wort bekomme ich aus ihr heraus. Was hast du denn, was hast du, Kind? Als ich leise zu ihr sage: Schau nur, das geht alles vorüber, morgen vielleicht …, bringt sie mich zum Schweigen.

Mutter, Mutter, sie haben alle getötet, heute Morgen, in der Nähe der Brücke. Ein Soldat aus Montsent hat es mir gesagt, er kennt mich, aber bis jetzt … Überall im Saal breitet sich die Nachricht aus, und unter die Schreie und Tränen mischen sich Namen und Schweigen und Menschen, die zu Boden fallen, und das Entsetzen der Kinder, die nicht wissen, was sie tun sollen. Ich fühle, wie mir eine Axt mitten durchs Herz schlägt, aber nicht eine Träne quillt hervor, kein Schrei, kein Tropfen Blut. In jedem Arm halte ich eines der Mädchen, und ihre Tränen sind für mich wie Wasser, das meine Wunde nicht reinigen kann. Angeleta verbirgt ihr Gesicht in meinem Rock, und mit meiner rechten Hand streiche ich über ihr Haar. Eine Strähne wickelt sich sachte um meine Finger, und ich denke an Jaumes Gesicht, das immer lächelt. Eine junge Frau schreit und rauft sich ihr Haar. Dann wälzt sie sich stöhnend auf dem Boden. Und jetzt endlich spüre ich, wie meine Wangen langsam naß werden, aber kein Schrei bricht aus mir hervor, da ist nur dieser gewaltige Schmerz im Hals, so als ob man mich erwürgen würde …

Ein Soldat kommt herein, die Augen scheinen ihm aus dem Gesicht zu quellen, und er schreit auf Spanisch: »Ruhe hier! Jetzt wird geschlafen!«

Ich hatte schon immer Angst vor dem Tod. Wenn jemand daheim stirbt. Flüstern zu müssen und gezwungen zu sein, jemanden anzuschauen, den man am nächsten Tag wegtragen wird, für immer, mit den Füßen zuerst, um ihn in ein Loch zu legen. All die Küsse, die falsche Anteilnahme und die echte, und die geröteten Augen derer, die man liebt. Und was war, jetzt hatte ich noch nicht einmal einen Toten, und doch war meine Angst, war meine Qual noch viel größer, weil ich den leblosen Körper nicht sehen konnte und auch nicht diese Wangen aus Wachs, die einmal so rot wie die Blüten des Granatapfelbaums gewesen waren. Ich war voller Trauer und hatte keinen Toten, dem ich die Augen schließen konnte, keine Totenwache konnte ich an seiner Seite halten, keinen Sarg konnte ich ihm kaufen und nicht mit einem Strauß frisch gepflückter Blumen an sein Grab gehen, um dort zu weinen und einfach nur zu weinen. Wie eine Rose in all ihrer Pracht war er, als sie ihn mir entrissen, und mir blieb nur diese eine letzte Erinnerung: ein kleiner Funke in seinem

Blick, ein so seltsames Lebewohl. Ich wußte, daß er tot war und daß ich ihn niemals mehr bei mir haben würde, denn der Krieg, das ist die Bosheit schlechthin. Wie sie über den Boden kriecht und ihre Schlangenbrut zurückläßt, ihre Saat aus Feuer und Messern mit offenen Klingen. Und meine Kinder und ich, wir waren barfuß, hatten nur unsere weit aufgerissenen Augen. Noch nicht einmal Trauerkleidung trug ich, denn mein Toter war nicht wie die anderen. Er war ein Ermordeter, den man sofort vergessen muß. Und vor seinem Namen müssen Mund, Augen und Ohren mit dickflüssigem Zement verschlossen werden. Ich wußte, daß er zu diesen Toten gehörte, denn sie brachten mich auf einem Lastwagen voller Schmerz nach Aragonien. Denn wir Unglückseligen mußten weit weggebracht werden von dem einzigen, was uns blieb: unser Elend mit unserem Stück Himmel und unserem irdischen Jammertal.

Als ich begriff, daß wir wie eine Herde ohne Hirte waren, und der Wolf vielleicht auf der Lauer lag, da fühlte ich mich so verlassen. Das Herz schnürte sich mir zusammen, denn ich spürte, daß ich keine Kraft mehr hatte, für meine Kinder da zu sein. Wie betäubt verharrte ich hinter dieser Mauer aus Traurigkeit. Ich konnte mich nicht auf den Boden werfen und einfach losschreien, und darum wollte ich einfach nur dasitzen, ohne mich zu bewegen, ohne nachzudenken. Mich einfach nur in diesen Schmerz ohne

Hoffnung versenken. Die Kinder mußten leben, und ich wollte sterben, und ich dachte, wenn ich nur so ganz still dasitze, mit dieser Hölle in meinem Inneren, dann werde ich irgendwann einfach zerbersten, und das war's dann, Conxa. Doch es gab mir einen Stich ins Herz, meine Töchter ihrem Schicksal zu überlassen. Zwei Tage lang hatte ich mich geweigert, etwas zu essen, aber Elvira ließ nicht locker, und da gab ich nach. Was für eine Qual, dieses Stück Brot hinunterzuschlucken, wo meine Kehle doch nichts durchlassen wollte. Wie ein Stück Schilfrohr war sie, das man nicht durchstoßen hatte ... Ganz langsam, unter dem wachsamen Blick meiner großen Tochter, zum ersten Mal mit vertauschten Rollen, und tief in mir dieses Verlangen, laut herauszuschreien: Es reicht!

Elvira hatte sich in dieses Leben gefügt. Wenn man jung ist, fällt einem alles viel leichter. Und dabei hatte sie viel einstecken müssen. Weil sie umtriebig war, einfach mit jedem sprach, sich nicht einschüchtern ließ. »Die Roten« nannten sie uns; Männer aus diesem Dorf hatte man auch getötet, und viele andere waren rüber nach Frankreich gegangen. Wie es hieß, sogar ganze Familien.

Wir waren in der Nähe eines Dorfes untergebracht, das etwas kleiner als Montsent gewesen sein mag. Eines Tages beschimpfte ein Mädchen Elvira. Sie war ungefähr in ihrem Alter und sagte, die Roten hätten ihren Verlobten umgebracht. Elvira hatte Glück, denn sie war in Begleitung eines jungen Mannes, eines Aragonesen, und der Arme verteidigte sie. Einigen war all unser Leid nicht genug, wir sollten uns auch noch schuldig fühlen. Warum trifft es immer die gleichen?

Sechs Personen schliefen quer nebeneinander auf unserer Matratze. Es gab Flöhe, doch so sehr wir auch darauf achteten, uns sorgfältig zu waschen, es gelang uns nicht, sie ganz loszuwerden. Das Essen war schlecht, aber wir mußten nicht hungern. Wir arbeiteten: Wir putzten, nähten, halfen auf der Krankenstation … Überall waren Italiener. Sie machten uns Angst, und wenn irgend möglich, gingen wir ihnen aus dem Weg.

Jeder neue Tag legte sich wie eine Grabplatte auf mein Herz. Der unaufhörliche Strom von Tränen war versiegt. Mein Leben kam mir jetzt vor wie ein schlechter Traum, aus dem ich früher oder später erwachen würde. Hinter diesem Albtraum glaubte ich so etwas wie einen Hoffnungsschimmer auszumachen. Zurück nach Hause. Vielleicht stimmte das alles ja überhaupt nicht. Sie waren so voller Leben, es konnte doch gar nicht sein, daß man sie einfach umgebracht hatte, einfach so, ohne jeden Beweis. Es konnte doch gar nicht sein, daß sie einfach gesagt haben: der da, und der, und der … Vielleicht waren sie ja im Gefängnis, oder man hatte sie verschleppt, so wie uns. Was wußte schon so ein einfacher Soldat? Den Mädchen sagte ich von all dem nichts. Ich bewahrte meine Gedanken wie ein Geheimnis, das sie mit Freude erfüllen würde, wenn es erst einmal Wirklichkeit geworden war, ganz bald. Das Schweigen beruhigte mich und gab mir Kraft. Schweigen, vom Alltag träumen, vom Glück, das in jeder einzelnen Stunde eines Tages liegt. Irgendeines Tages, ganz gleich, ob es ein guter oder ein schlechter Tag ist.

Einer, an dem eine Kuh von einem Blitz getötet wird, und du viel Verdruß hast, oder einer, an dem alles so ist, wie es sein soll. Das Heu in der Scheune, die Hühner auf der Stange, die Kühe ruhig im Stall und wir alle am Tisch beim Abendessen. Nein, den Mädchen sagte ich nichts von alldem. Für sie war es wichtig, an etwas anderes zu denken. Das war ein harter Schlag für sie, was da geschehen war, aber man dachte besser nicht darüber nach. Es mußte vorwärtsgehen. Sie konnten sich nicht wieder der Hoffnung hingeben, das alles sei vielleicht nicht wahr … Aber ich mußte mich daran festhalten, um wenigstens atmen zu können.

Sie sagten uns nichts. Wie lange würden sie uns dabehalten? Was hatten wir dort zu suchen? Für was waren wir Frauen und Kinder bloß gut? Wir verstanden ja gerade mal die Anweisungen, die sie uns gaben …

Die Erde dort schien gut zu sein. Wasser im Überfluß, so wie in den Dörfern bei uns daheim, gab es freilich nicht. Der Ort lag tiefer, und heißer war es auch. Doch den Menschen dort ging es bestimmt nicht schlecht, vorher zumindest, denn ein normales Leben führten sie jetzt auch nicht. Überall nur Soldaten, Befehle, Schreie und Schweigen.

Morgens und abends mußten wir beten. Auf Spanisch konnte ich das nicht, darum tat ich nur so als ob und bewegte bloß die Lippen. Noch einmal beten lernen in einer anderen Sprache, das wollte ich nicht. Ich redete ja schon mit Gott, in meinem Inneren, lang und ausführlich. Ich erzählte ihm alles, flehte ihn an. Aber immer nur in meinem Inneren. Wie zwei Freunde, die sich schon lange kennen und denen ein einziger Blick genügt. Man muß gar nicht den Mund auftun, nur irgendwo bei seinem Kummer anfangen und daran ziehen, ganz langsam, wie an einem Wollknäuel, und den Faden einfach laufen lassen, nur laufen lassen …, bis du schon nicht mehr die Farbe erkennen kannst, weil deine Augen voller Tränen sind. Doch du vergießt keine einzige Träne. Die Wolle hat sich in einen Schleier aus Wasser verwandelt und gleitet deine Wangen hinunter, und gerade als du aufschluchzen willst, merkst du, daß du nicht allein bist, und da bildet sich dieser Knoten in deinem Hals, und du spürst einen heftigen Schmerz. Ganz langsam schluckst du ihn hinunter, und auf einmal reißt der Faden, und auf der einen Seite bleibt das Wollknäuel zurück, und ein Stück von deinem Kummer rutscht direkt in den Bauch, mit dem Knoten und allem.

Als sie in Barcelona einmarschierten, hatte ihnen sicher jemand gesagt, daß sie uns jetzt nach Hause schicken könnten. Fünfeinhalb Wochen waren vergangen, und als wir an der kleinen Kapelle des Heiligen Josefs ankamen, Pallarès also schon vor uns lag, da zitterten mir noch immer die Knie.

Zuvor, in Montsent, da hatten sie uns in das Büro des Kommandanten gebracht. Immer zu viert. Wir drei gingen zusammen mit Mundeta hinein, die damals für uns wie zur Familie gehörte.

Wir mußten uns vor dem Schreibtisch aufstellen, aber nicht zu nah kommen. Ein Soldat bewachte die verschlossene Tür. Sie forderten uns auf, unsere Namen zu nennen, aber dann redete nur noch der Offizier, natürlich auf Spanisch: »Die Schmach dieses Landes ist getilgt. Dank Gottes Hilfe sind wir gerettet. Wir erwarten, daß Euer Verhalten von jetzt an untadelig sein wird. Wenn Ihr gute Spanierinnen seid, habt Ihr nichts zu befürchten. Jetzt geht und denkt daran, was ich Euch gesagt habe.« Er trug einen dichten schwarzen Schnurrbart, der so gar nicht zu seiner winzigen Nase paßte. An seine Augen erinnere ich mich nicht mehr. Beim Hereingehen hatte ich nur einen verstohlenen Blick auf ihn geworfen, und während er zu uns sprach, auf meinen Rock geschaut, dessen Saum jeden Tag mehr ausfranste, und auf meine Leinenschuhe, aus denen schon die Zehen hervorlugten. Sie setzten alles daran, uns glauben zu machen, wir seien schlechte Menschen. Sie wiederholten immer wieder die alte Leier, und ich hatte Angst um meine Töchter. Als hätten wir die Sprache verloren, standen wir da, doch dann schien Mundeta etwas sagen zu wollen, schnell nahm ich ihre Hand und drückte sie ganz fest, und wir hatten so ein Glück, denn der Soldat öffnete uns sofort die Tür.

Auf dem Weg von Montsent nach Hause, zu Fuß, da war uns, als sähen wir alles zum ersten Mal. Überall blühte die Waldrebe. Ohne Angst vor den stechenden Dornen rankte sie sich um die Brombeersträucher. Weiße Waldrebe, so zart und doch so stark. Waldrebe, mit der man die Garben zusammenbindet. Waldrebe, aus der man ein Springseil für die Kinder macht. Ich riß ein Büschel blühendes Seifenkraut heraus, und dieser unglaublich süße Duft erfüllte mich mit einer solchen Freude, daß ich in Tränen ausbrach. Mitten auf dem Weg umarmten wir uns und hörten nicht mehr auf zu weinen, wir alle drei, denn die eine steckte die andere an. Da glaubte ich, ein Geräusch zu hören, und sagte: Jetzt ist es genug, denn daheim haben sie vielleicht irgendwie erfahren, daß wir kommen werden. Ich spürte, wie meine Wangen zu glühen begannen, als wir an den ersten Häusern vorbeikamen, doch auch dieses Mal ließ sich niemand blicken.

Es dämmerte bereits. Zeit, die Kühe in den Stall zu bringen. Zeit, das Abendessen vorzubereiten. Zeit für einen kurzen Plausch am Brunnen, aber nur solange, wie man für ein Vaterunser braucht!

Ich sah, wie von der Tränke her eine Frau auf uns zukam. Das war Delina. Sie fing an zu laufen und warf sich in meine Arme. Immer wieder sagte sie: Was für ein Unglück, Conxa ... Da begriff ich, daß ich nicht mehr weiterträumen konnte, daß alles Wirklichkeit war, und ich löste mich sanft aus ihrer Umarmung und ging mit großen Schritten auf unser Haus zu. Kaum hatte ich die Türschwelle betreten, umschlang der kleine Mateu meine Beine, und die Mädchen fielen der Tante in die Arme. Es war das zweite Mal, daß ich sie weinen sah ...

Und dann schleppte ich die Matratze in die Küche und setzte mich auf die Bank, mit dem Jungen auf meinem Schoß, und ließ Elvira und Angeleta alles erzählen, ganz durcheinander, und die Tante Fragen um Fragen stellen, ohne daß sie selbst gesagt hätte, wie es ihr ergangen war.

Und die Gewißheit, daß es keinen Jaume mehr gab. Es war, als ob ein Windstoß ihn einfach weggeweht hätte. Ich hatte keine Kraft mehr zu atmen, ich konnte nicht einfach weitermachen wie zuvor, nicht mehr die sein, die ich gewesen war. Meine Hand lag auf dem Tisch, den er gezimmert hatte, und da wollte ich nur noch, daß das Holz mich zerschmettert, nichts von mir sollte mehr übrigbleiben.

Ich ging durch das Haus, und am meisten wunderte ich mich über all die Spinnweben. Die Tante war wirklich alt geworden, das sah ich jetzt. Von der Küchendecke hingen diese dunklen Flusen, die einen zu beobachten schienen. Und als ich unser Zimmer betrat, nein, nur mein Zimmer war das ja jetzt, und auf das Kopfende des Bettes zuging, da verfingen sich meine Arme in feinen Fäden. Lange Spinnweben waren das, die das gemachte Bett zu bewachen schienen ...

Sobald ich in die Nähe der Tür kam, hab' ich gleich daran denken müssen, daß ihr ja nicht da seid. Vor lauter Kummer und Wut fing ich jedesmal an zu zittern. Keine zwei Schritte konnte ich in das Zimmer gehen, gestand mir die Tante.

Ich nahm einen Besen und fing an, die Spinnweben wegzumachen, und manchmal, da flohen die Spinnen ganz überstürzt aus ihrem Netz, so überrascht waren sie. Sofort schlug ich mit aller Kraft ein oder zweimal auf sie drauf, bis sich unter dem Besen nichts mehr bewegte. Dann war mir, als sei die Spinne bloß ein Hirngespinst gewesen, das sich in nichts aufgelöst hätte. Und sofort dachte ich wieder, vielleicht stimmt es ja gar nicht, und Jaume ist überhaupt nicht tot, und jetzt, wo ich wieder zu Hause bin, da höre ich gleich seine Stimme, wie er mir von der Treppe aus zuruft: Na, was gibt's denn heute zum Essen?

Jede Menge Spinnen hatte ich schon getötet, und als ich den Besen draußen an der Wand hinter dem Heuschober saubermachte, weil dort nämlich die Steine ein gutes Stück herausragten und so der ganze Staub gleich abging, da liefen mir plötzlich heiße Tränen über das Gesicht. Ich wußte nicht, wie mir geschah, und obwohl ich doch allein war, versuchte ich, das Weinen zu unterdrücken. Mit einem Mal wurde mir klar, daß ich niemals mehr diese Stimme hören würde, die mir so schöne Dinge wie niemand sonst in meinem ganzen Leben gesagt hatte. Das war die einzige Gewißheit, die ich hatte, und ich war siebenunddreißig Jahre alt. Da kam Mateu auf mich zugelaufen, und er hatte ein kleines Kaninchen auf dem Arm. Er sagte, es gehöre ihm und wir dürften es niemals schlachten. Ich ließ den Besen fallen und umarmte den Kleinen so fest, daß er richtig Angst bekam, noch dazu, wo ich in diesem Augenblick voller Verzweiflung aufschluchzte. Mit einem Sprung ergriff das erschreckte Kaninchen die Flucht, und der Junge riß sich los von mir und lief dem Tier nach, was seine kleinen Beine hergaben.

Das war ein denkwürdiges Reinemachen. Nicht eine Ecke ließ ich aus, so als hätte ich Angst, daß sich die Flöhe, die wir uns im Lager eingehandelt hatten, in den Wänden einnisten könnten. So klein sie auch sein mochten, ich wurde das Gefühl nicht los, in der Nacht könnten diese Augenpaare unseren Schlaf belauern.

Ich ärgerte mich über die Mädchen, die sich nur oberflächlich waschen wollten, und ich schrie sie an, daß nach all dem, was wir durchgemacht hatten, wohl etwas mehr als eine Katzenwäsche nötig sei. Sie schauten mich mit großen Augen an, und ich sah, wie ihre Verwunderung in Mitleid umschlug. Und schließlich sagten sie ja zu allem, und da gab ich mich innerlich schon geschlagen und war kurz davor, ihnen zu sagen, daß es im Grunde ganz egal sei.

Wie besessen unterzog auch ich mich einer Waschung von Kopf bis Fuß, so als ob sie meinen Körper mit Blut und Angst und Elend besudelt hätten und dieses Bad auch die letzte Spur davon tilgen könnte. Damals schien es, als würde ich nicht verstehen, daß der Schmerz nicht auf der Haut klebt, nicht an den Haaren oder unter den Fingernägeln … Und als ich an meinem ausgemergelten Körper herunterschaute, mit den kleinen Brüsten und den eingezogenen Brustwarzen, da dachte ich etwas ganz Selbstsüchtiges. Nie wieder werde ich Freude und

Lust empfinden. Und wenn man es genau nimmt, sind wir Menschen eigentlich ziemlich unbedeutend, auch wenn wir uns bisweilen einbilden, wer weiß wie großartig zu sein.

Nach all dem Großreinemachen und der ganzen Unruhe untersagte mir die Tante weitere Anstrengungen, aber ich wollte auch nicht mehr. Ich war wie ausgehöhlt. Ich wußte, ich war eine andere Conxa geworden, so als ob ich in diesen anderthalb Monaten viele Jahre gelebt hätte.

Wenn jemand vom Krieg sprach, und ich war dabei, warteten sie immer darauf, daß ich auch was dazu sagte, doch kein einziges Mal tat ich ihnen diesen Gefallen. Schwiegen aber auf einmal alle, war mir das ganz unangenehm, und manchmal fühlte ich sogar, wie ich brennendrote Wangen bekam. Stand Soledat dabei, dann konnte sie es einfach nicht lassen und brachte die anderen immer wieder dazu, mich zu fragen, wie es uns denn im Krieg ergangen sei.

Warum sie nur so versessen darauf waren, uns das Leben schwerzumachen? Gleich nach unserer Rückkehr aus dem Lager kamen ständig Leute bei uns vorbei, angeblich weil sie in Sorge um uns waren. Mal war es dieser, mal jener, der behauptete, den Verantwortlichen für Jaumes Tod zu kennen und jemanden aus unserem eigenen Dorf beschuldigte, manchmal sogar einen Nachbarn, und dann zufrieden mit sich selbst wieder fortging. Mir war dabei so schwer ums Herz, doch ich traute mich nicht zu sagen, daß ich all das gar nicht wissen wollte. Ich ertrug die Anschuldigungen mit großer Geduld, denn ich dachte, daß derjenige, der mir da gegenübersaß, es sicherlich gut mit uns meinte.

Etwas anderes war es, wenn sie kamen und wissen wollten, wie es uns ging, nur um zu sehen, ob wir ihnen nicht die größten – und natürlich besten – Wiesen verkaufen wollten, oder ob wir nicht vielleicht daran dächten, uns von ein paar Kühen zu trennen ... Und hast du nein danke gesagt, dann durftest du nicht stolz erscheinen, sonst hättest du zu hören bekommen: »Euch ist es ja noch viel zu gut ergangen!« Irgendwann wußten wir nicht mehr, ob wir einem Unglück oder einer Schuld die Stirn bieten mußten, denn die Leute schienen von uns zu erwarten, daß wir endlich akzeptieren, besiegt worden zu sein. Wir sollten zeigen, daß wir unsere Lektion gelernt hatten, daß wir uns minderwertig fühlten. Arm und überflüssig, wie wir waren, sollten wir um die Gnade bitten, von den anderen wie ganz normale Menschen behandelt zu werden.

Elvira hat deshalb oft geweint. Sie war die Älteste und mußte von daher am meisten einstecken. Einmal sollte sie mit anderen jungen Mädchen bei den Augustís in der Küche aushelfen. Die hatten ein Radio, und als die Nationalhymne erklang, lief die Großmutter der Augustís gleich hin und stellte sich kerzengerade mit erhobenem Arm vor den Apparat, und die Mädchen machten es ihr nach. Als die Hymne verklungen war, sagte sie vor allen anderen zu unserer Elvira: »Na, mit viel Überzeugung hast du den Arm aber nicht gerade ausgestreckt. Was war denn los mit dir?« Von da an ließ sich Elvira nicht mehr dazu bewegen, zu den Augustís zu gehen.

Delina war die einzige, die uns Mitgefühl entgegenbrachte. Sie kam nicht vorbei, um uns irgendwelche Geschichten zu erzählen. Sie kam einfach, wann immer sie konnte. War ich gerade beim Flikken, dann half sie mir dabei, und war ich beim Brotbacken, dann kneteten wir den Teig gemeinsam, und manchmal verging eine ganze Weile, ohne daß wir auch nur ein einziges Wort gesprochen hätten. Gerade deshalb tat mir ihre Gesellschaft gut. Sie wußte ebensoviel wie die anderen, aber niemals gab sie sich dazu her, irgend jemand Bestimmtes zu beschuldigen. Wenn wir manchmal so ganz allgemein redeten, sagte sie nur: Es gibt schlechte Menschen, Conxa, die niemals vergeben.

Viel Arbeit hatten wir und wenig zu essen. Wir kamen über die Runden, aber nur mit Mühe und Not und weil alle sich abplagten. Die Tante war für das Haus zuständig und Elvira für die Arbeit draußen, denn das traute ich mir nicht zu. Aber wir legten uns alle ins Zeug, so gut wir konnten.

Wie die Perlen in einem Rosenkranz reihte sich ein Tag an den anderen. Der eine verging schnell, der andere langsam, wenn du sie aber alle zusammenzählen wolltest, dann war schon wieder jede Menge Zeit vergangen.

Die Tage flossen dahin. Elvira gefielen die jungen Burschen nicht, die ihr den Hof machten. Es war nicht leicht gewesen, das Eis im Dorf zu brechen, aber nach und nach, wenn auch manchmal recht verstohlen, hatte sie doch die ersten Heiratsanträge bekommen. Das war, weil man sie bei der Arbeit gesehen hatte. Ob beim Mähen oder Heumachen, sie packte zu wie ein Mann, und wenn es notwendig war, dann nahm sie es mit allem und jedem auf.

Eines Abends nach dem Essen verkündete sie, daß sie sich nach auswärts verheiraten werde und auf ihr Erbe verzichte. Die Tante prophezeite ihr alles nur denkbare Unglück. Daß sie Hunger leiden werde, daß ein Mann, der nur seinen Lohn nach Hause bringt, seine Familie nicht ernähren kann, daß sie schon bald wieder angelaufen käme, um uns um Essen anzubetteln … Elvira blieb ganz ruhig und ließ sie reden. Ich brachte es nicht übers Herz, mich ihren Heiratsplänen in den Weg zu stellen, aber der Tante zu widersprechen, dazu war ich auch nicht in der Lage. Also schwieg ich und machte mir innerlich Vorwürfe, denn ich glaube, Elvira hatte gehofft, ich würde sie in Schutz nehmen. Als Angeleta aber anfing, sie mit der Hochzeit aufzuziehen, da sprang sie wie von einer Tarantel gestochen auf. Mateu war bereits neun Jahre alt. Hier und da ging er uns schon zur Hand, doch jetzt traute er sich nicht, den Mund aufzumachen, denn er wußte genau, was ihm sonst blühen würde. Schließlich war es seine große Schwester, die dafür sorgte, daß er immer sauber angezogen war, die ihm einen Scheitel zog und ihn ausschimpfte, wenn er sich schmutzig machte. Wie hätte er sich da einmischen können!

Beim Viehhüten dachte ich über all diese Dinge nach. Das war die Arbeit, die mir am besten gefiel. Viele Stunden verbrachte ich allein mit den Tieren, und da hatte ich Zeit, mich in meinen Erinnerungen zu verlieren. Die raschelnden Blätter einer Pappel ließen mich an die Jahre denken, die ich in Ermita verbracht hatte, oder an die erste Zeit bei Onkel und Tante. Ganz versunken in das Gezwitscher der Vögel ließ ich mich einfach treiben, und als ich nach Fosca oder nach Clapada rufen mußte, nach der Braunen oder der Gefleckten, die sich verstiegen hatten, merkte ich mit einem Mal, daß ich an gar nichts mehr dachte. Das waren jetzt die guten Momente in meinem Leben. Als ich dann die Tiere, die mit ihrem Schwanz die Fliegen verscheuchten, in den Stall zurückbrachte, fühlte ich mich irgendwie getröstet.

Am Tag, nach dem Elvira uns hatte wissen lassen, daß sie einen Burschen heiraten wollte, der in einer Sägemühle arbeitete, und sie mit ihm in Noguera leben würde, da dachte ich auf dem Nachhauseweg, daß sie mich jetzt nicht mehr brauchten. Völlig unerwartet kam dieser Gedanke, so als würde mich ein Sonnenstrahl blenden, der ganz plötzlich durch die Zweige bricht.

Noch war sie nicht verheiratet, aber bald würde es so weit sein. Und sie tat gut daran. Auch Angeleta würde sich verheiraten. Sie war ruhig, arbeitsam und freundlich, und alles in allem blieb das natürlich nicht unbemerkt. Außerdem war sie hübsch. Und Mateu hatte die Tante, die ihm alles beibringen konnte. Wie eine Mutter würde sie für ihn sein. Und mit fünfzehn Jahren wäre er dann der junge Erbe. Im selben Augenblick, als ich das dachte, durchfuhr mich eine scharfe Klinge. Das tat so weh, doch ich sagte es mir noch einmal: Sie brauchen mich nicht mehr.

Bis zum Patronatsfest dachte ich nicht mehr daran. Doch dann, in der ersten Nacht, hörte ich von meinem Bett aus die Tanzmusik, wenn auch nur ganz leise. Wie ein Vogel, der einem Lockruf folgt, stand ich auf, zog mir mein schwarzes Kleid an, und stieg langsam, doch ohne zu zögern, auf den Speicher hinauf. Dort unter dem Dach stand in einer Ecke die Wiege aus Holz, in der meine drei Kinder geschlafen hatten, als sie klein waren. Ihr Vater hatte sie mit eigenen Händen gebaut. Ganz schlicht war sie. Bloß eine Zickzackborte an beiden Seiten, sonst nichts. Auch den geöffneten Schrank sah ich, mit all seinen Werkzeugen darin. Doch damit hielt ich mich nicht auf. Ich öffnete das Fenster und lehnte mich hinaus. Das Rauschen des Flusses überflutete mich mit einem Duft nach zarten, grünen Zweigen. Ganz weit da unten lag er, aber er war so deutlich zu hören und schien mir so viel einladender zu sein als die Hölle meines Bettes. Ich zog die Wiege ein wenig heran und stellte sie umgekehrt unter das Fenster. Als ich gerade den rechten Fuß hob, um darauf zu steigen, hörte ich neben mir ein leises Geräusch. Die Tante schaute mich mit weit aufgerissenen Augen an. Kannst du nicht schlafen, Kind? sagte sie und legte mir ihren Arm um die Schulter. Und so ging ich, ganz eng an ihren kleinen, noch festen Körper geschmiegt, wieder hinunter in mein Schlafzimmer, und ich sagte kein Wort.

Die Große hatte es gut getroffen. Sie hatte bereits einen kleinen Jungen, einen richtigen Sonnenschein, und es konnte keine Rede davon sein, daß wir sie mit durchfütterten. Wir waren es, die ihre Hilfe brauchten, und mußten sie darum bitten, im Sommer zu uns hochzukommen, um uns zur Hand zu gehen. Angeleta war das nicht möglich, denn sie hatte einen Bauern geheiratet und zu Hause auf dem Hof selbst genug zu tun. Jetzt ging es nur noch darum, den Erben zu verheiraten, doch der machte bislang keine Anstalten, so daß die Tante und ich, auch wenn er noch recht jung war, langsam etwas unruhig wurden. Er war arbeitsam und geschickt wie sein Vater und hatte einen sanftmütigen Charakter. Das Herumschreien lag ihm nicht und das Herumkommandieren schon gar nicht. Gütig und freundlich war er und nicht gerade schlecht anzuschauen. Hochgewachsen, vielleicht ein wenig zu mager, das ja, mit gelocktem, kastanienfarbenem Haar, großen, friedfertigen Augen, einer langen Nase und einem feingeschnittenen Mund.

Aber es waren Zeiten angebrochen, in denen es sich eine junge Frau zweimal überlegte, ob sie auf einen Hof einheiraten wollte. Also sagte ich den Mädchen, sie sollten sich in Noguera oder Torrent umschauen, ob sie nicht dort irgendeine junge Frau für Mateu finden würden. Ich dachte: Du wirst ihn verlieren. Aber er brauchte Frau und Kinder, um den Hof erhalten zu können. Was sollte er denn mit zwei alten Frauen anfangen?

Über all dem starb uns die Tante. Eines Morgens, ganz erstaunt darüber, daß sie noch nicht aufgestanden war, fanden wir sie in ihrem Bett, zusammengerollt wie einen Spatz. Sie war von uns gegangen, ohne uns auch nur die geringste Arbeit gemacht zu haben, noch nicht einmal einen Kräutertee hatten wir ihr aufgebrüht. Ihr Tod hätte mich völlig verzweifeln lassen, wenn da nicht Mateu gewesen wäre. Ihr kleines, runzeliges Gesicht, schon ganz zahnlos in den letzten Jahren, vor allem aber ihre Stimme sollten mir in vielen Nächten meines Lebens ein Trost sein. Wenn ich mich an sie erinnern wollte, so als wäre sie nur ein paar Schritte von mir entfernt, nahm ich die Fotografie zur Hand, die mein Schwiegersohn aus Noguera von ihr gemacht hatte, heimlich, weil sie sich nicht aufnehmen lassen wollte. Sie sitzt auf der Wiese, hinter ihr der bis obenhin mit Heu beladene Karren, und neben ihr der kleine Ramon, dem sie gerade etwas zu sagen scheint. Das schwarze

Kopftuch trägt sie weit in die Stirn gezogen, so daß man ihr Gesicht nur undeutlich erkennt.

Jetzt, so ganz allein, trieb mich die Vorstellung um, Mateu zu verheiraten. Wenn mir etwas passieren würde, müßte mein Sohn alles stehen und liegen lassen, um für mich da zu sein. Und wer würde sich dann um ihn kümmern?

Bis zu dem Tag, an dem er sich auf den Weg nach Torrent machte, um seine Schwester zu besuchen und auf Brautschau zu gehen, fand ich keine Ruhe. Man hatte uns ein Mädchen von dort empfohlen. Sie war die jüngste von vier Geschwistern, Jungen und Mädchen. Außer ihr und dem Zweitältesten waren alle verheiratet. Die Familie war weder arm noch reich. Sie lebten von Viehzucht, dem Verkauf von Milch und von der Jagd. Gemsen jagte der Vater. Man sagte, sie verstehe viel vom Haushalt und von der Feldarbeit, außerdem könne sie nähen und gut rechnen.

So allein im Haus, dachte ich viel nach an diesem Tag. Bald wäre es an der Zeit, die Kühe zu melken. Ich saß am Fenster und hörte Clapada, die im Stall schon ganz unruhig wurde. Aber es war noch hell, und ich hatte mich daran gemacht, ein Bettuch auszubessern, und diese Flickarbeit wollte ich noch zu Ende bringen. Nicht mehr lange und dann käme eine junge Frau in dieses Haus. Kein einziges Zimmer kannte sie, und doch sollte sie fortan die Hausherrin sein. Ich würde ihr die Schlüssel für alle Türen übergeben, damit die Wände, die schon die Stimmen so vieler Menschen gehört hatten, wieder vor Freude bebten. Lieder, Kinderweinen, Tellerklappern: Das Leben in seiner ganzen Fülle, damit aus dem Schatten wieder Farbe wird.

Dieser frohe Gedanke ließ mich innerlich bittersüße Tränen vergießen, die ich mir nicht erklären wollte. Meine Flickarbeit konnte ich nicht mehr erkennen. Es war dunkel geworden. Jetzt mußte ich die Kühe melken, aber sonst gab es nicht mehr viel zu tun. Keinen Tisch decken und auch nicht das Frühstück für den nächsten Morgen vorbereiten.

Wenn ich heute daran zurückdenke, glaube ich, in jener Nacht schon geahnt zu haben, daß nun ein neuer Lebensabschnitt für mich begann.

Am Tag der Hochzeit litt ich sehr. Die Feier fand in Torrent statt. Die Mädchen waren dabei, die beiden Schwiegersöhne und die Enkelkinder, insgesamt schon drei, Ramon und Rita, die beiden Kinder von Elvira, und Agustí, Angeletas Sohn. Ich war wirklich nicht allein, aber ich konnte einfach nicht verhindern, daß meine Gedanken geradewegs nach Pallarès eilten, hin zu dem Tag, an dem Jaume und ich geheiratet hatten. Ich wollte diese Erinnerung nicht aufkommen lassen, doch ich erreichte damit nur, daß sich meine Augen mit Tränen füllten, so als ob ich auf einer Beerdigung wäre. Vielleicht war die Braut ja deshalb mir gegenüber etwas zurückhaltend, sehr schüchtern, so als ob sie Angst hätte, mit mir zu sprechen.

Alles ging gut. Es gab ein feines Essen, es wurde gescherzt und gelacht, und ich versuchte, wieder festen Boden unter die Füße zu bekommen. Ich konnte nicht glauben, daß diese beiden Frauen mit ihren kleinen Kindern und dieser Mann, der gerade geheiratet hatte, meine Kinder waren. Wie die Zeit verging! Jung war ich jetzt wohl nicht mehr, ja vielleicht war ich sogar schon alt. Erst in diesem Augenblick kam mir das in den Sinn. Die Jahre nach dem Krieg, das war alles eins, nichts hatte sich bewegt, nichts verändert. Ich war einfach an jenem Morgen stehengeblieben, an dem die Soldaten an die Tür gepocht hatten, oder vielleicht hatte ich mich in diesem Lager in Aragonien verloren. Deshalb kam es mir jetzt so seltsam vor, daß meine Kinder keine Kinder mehr waren und ich eine alte Frau. Eine langsame alte Frau, eine, die keinen Ärger machte, ihrer Arbeit nachging, die sich aber selbst für ziemlich töricht hielt. Und der ganz plötzlich klar wurde, daß nun endlich auch ihr eigener Tod nicht mehr gar so weit entfernt war, denn sie zählte schon mehr als fünfzig Jahre, und sie erwartete nichts mehr vom Leben, weder für jetzt noch für später.

Aber darüber haben nicht wir zu entscheiden. Jetzt habe ich lange genug gelebt, jetzt gehe ich. Jetzt bin ich glücklich, und darum möchte ich länger leben.

Das alles wußte ich zur Genüge, aber was es eigentlich bedeutete, das verstand ich damals noch nicht.

Heute muß ich lachen, wenn ich daran denke. Mein Los war es, dreißig weitere Jahre zu leben, und ich atme immer noch, obwohl ich zu rein gar nichts mehr nutze bin.

Die Musik hatte einfach weitergespielt, ja, ein paar Takte standen noch aus. Auch mancherlei Schönes: Zu wissen, daß die Enkelkinder heranwachsen, sie einmal im Jahr zu sehen, zu erleben, daß weitere geboren werden, sich sagen zu können, daß es uns an nichts fehlen wird, wenn wir nur genug arbeiten, zuzulassen, daß die schlimmen Erinnerungen mit der Zeit verblassen ... Doch daneben: abgrundtiefes Schweigen. Zu begreifen, daß es eine Art von Menschen gibt, die mit großer Strenge erzogen wurden und die deshalb nur vor demjenigen Achtung haben, der sie herumkommandiert. Ich mußte mit ansehen, wie sich Mateu nach und nach veränderte. Er war nicht mehr ausgeglichen und fröhlich wie früher, sondern nur noch mürrisch und voller Unruhe. Vielleicht muß man bei einer Vernunftehe damit rechnen, denn alles läßt sich im voraus bedenken, nur eben nicht der Charakter eines Menschen. Wie geht denn so eine Brautwerbung vonstatten? Eine Weile sitzt man in der guten Stube und spricht über die Mitgift, dann wird eine von den besten Würsten aufgeschnitten und ein Krug Wein auf den Tisch gestellt.

Und wenn das Paar schließlich allein ist, wechseln sie ein paar schüchterne und unbeholfene Worte miteinander.

Das ist ein Geschäft wie jedes andere auch, nur daß hier Waren auf die Waagschale gelegt werden, die kein Gewicht haben. Ein Mensch ist zu viel wert, um gekauft zu werden, und zu unbedeutend, um so zu leben, wie es ihm gefällt …

Wie niemand sonst habe ich meinen Teil dazu beigetragen, daß der Junge heiratet. Und es heißt ja, jeder Sünde folge die Strafe auf dem Fuß, und wahrlich, genauso ist es mir ergangen.

Es stimmt schon, sie hatten es nicht gerade leicht. Seit der Geburt des ersten Kindes in der Klinik von Noguera war Lluïsa etwas kränklich und klagte in einem fort. Mateu, der in dreißig Jahren kaum aus dem Dorf herausgekommen war, mußte jetzt dauernd umherreisen. Zuerst ein ums andere Mal nach Noguera, um den Rat der Ärzte einzuholen. Dann schickte man sie nach Lleida und später sogar nach Barcelona.

Die Untersuchungen, die Reisen und Medikamente, das alles kostete viel Geld. Tagelang blieb die Arbeit auf den Feldern liegen, obwohl sie doch eigentlich keinen Aufschub duldete. Eile, Verdruß ... Ich tat, was ich konnte. Kümmerte mich um den Kleinen, die Tiere, den Garten, das Federvieh, aber für die Arbeit draußen, da taugte ich nicht mehr.

Ich erinnere mich an diese Zeit als eine Zeit des Wartens. Ich wußte, daß Veränderungen auf uns zukamen, denn mein Traum hatte sich nicht erfüllt. Im Haus lebten jetzt wieder mehr Menschen, aber fröhlicher ging es deshalb nicht zu. Es hatte sich eine

Freudlosigkeit ausgebreitet, die wir zuvor nicht gekannt hatten. Die Freudlosigkeit von Menschen, die sich nicht wohl fühlen. Einmal abgesehen von den Krankheiten der Kinder, einer Erkältung oder etwas Rückenschmerzen, waren wir eigentlich immer gesund gewesen. Der Onkel, ja, der hatte wirklich unter einer schweren Krankheit gelitten, aber er hatte sie mit Geduld ertragen, und wie so viele alte Menschen war er davon überzeugt gewesen, daß seine Uhr abgelaufen sei, und so richtig wollte er darum auch gar nicht mehr gesund werden.

Der kleine Jaume hätte meine Stunden ausgefüllt, wenn ich mich nur geschickter angestellt hätte. Seine Mutter aber hielt ihn von mir fern, weil es ihr, wie allen Müttern bei ihrem ersten Kind, ein Bedürfnis war, sich selbst um ihn zu kümmern. Lluïsa und ich, wir waren uns nicht nähergekommen, und so sehr ich mich auch bemühte, ihr alles recht zu machen, es gelang mir nie. Ich glaube, sie litt jedes Mal Höllenqualen, wenn ein Arztbesuch anstand und sie den Kleinen bei mir zurücklassen mußte. Ich verstand sie gut, aber ich traute mich nicht, ihr etwas zu sagen, denn sie schien immer nervös und übellaunig zu sein. So als ob wir anderen schuld daran wären, daß es ihr nicht gut ging.

Wir schauten durch das Fenster, wie der Regen fiel, der kleine Jaume und ich, und als ich anfing, ihm eine Geschichte zu erzählen, da blickte er mich mit seinen großen schwarzen Augen an. Draußen auf der Fensterscheibe schienen die Regentropfen miteinander Fangen zu spielen, und Jaume, so geduldig, wurde nicht müde, mir zuzuhören. Zur Essenszeit war es dann wie immer. Zu mehr als ein paar Bissen ließ er sich einfach nicht bewegen. Ich dachte, daß er wegen der unguten Stimmung, die bei uns herrschte, keinen Appetit hatte, aber ich hätte mir eher die Zunge abgebissen, als das laut zu sagen.

So nah wie an jenem Regennachmittag waren mein Enkel und ich uns nie wieder. Mit den Jahren sollte Jaume, und später dann auch sein Bruder Lluís, weit entfernt von seiner Großmutter leben, auch wenn wir alle am selben Tisch aßen.

Ich nahm das hin. Vielleicht weil ich zu einem lebendigen Gestein geworden war oder vielleicht, weil ich es ganz einfach nie verstanden hatte aufzubegehren. Und zu sagen: Ich bin noch nicht tot, hier wird das Geld nur für dieses oder jenes ausgegeben, oder so ähnliche Sachen … Ich ahnte, daß ich noch sehr stark sein müßte, aber weshalb, das kam mir nicht in den Sinn.

Eines Abends, draußen lag alles voller Schnee, und es war bitterkalt, kam Mateu zu mir, liebevoll wie früher, so kannte ich ihn gar nicht mehr. Mutter, wir haben uns um eine Pförtnerloge in Barcelona bemüht. Sie stellen uns eine kleine Wohnung zur Verfügung, im Hochparterre, und außerdem zahlen sie uns ein Gehalt. Dort haben wir es nicht weit zu den Ärzten und müssen uns keine Sorgen mehr um das Land machen …

Wenn ich den Mut gehabt hätte zu sagen: Laßt mich hier bleiben, ich will auf diesem Stückchen Erde sterben, so wäre das sinnlos gewesen. Ich hätte mir nur anhören müssen, daß ich zu träge geworden sei und was ich denn alleine in so einem großen Haus anfangen wolle. Und es wäre ebenso sinnlos gewesen, ihnen dann zu sagen, daß dies doch schließlich mein Zuhause ist und ich hier mein ganzes Leben verbracht habe ... Ich sagte also nichts, so als ob ich mit allem einverstanden sei, so als ob mich diese Nachricht nicht wirklich überrascht hätte.

Ich begriff, daß ich mich gar nicht mit allem abgefunden hatte, und es stimmte auch nicht, daß ich nicht mehr weiterleben wollte. Als wir damals fortgingen, bedeutete Leben für mich, in Jaumes Nähe zu bleiben, dort, wo man mir gesagt hatte, daß er begraben lag. Nichts überstürzen. Ich wollte einfach weitermachen wie bisher, die anderen ruhig reden lassen, das bewahren, was uns allen gemeinsam so viel abverlangt hatte. Soviel Mühe, so viele Entbehrungen, so viele Schicksalsschläge. Jetzt sperrten wir die Tür zu, und es ging die Straße hinunter, viel weiter hinunter noch als bis Noguera, mehr als zweimal den ganzen Weg, immer hinunter.

Ein Haus mit sieben Stockwerken hatte er gesagt, und ich stellte mir vor, daß es bis in den Himmel ragte.

Um nichts in der Welt wollte ich mich von meinem Sohn trennen, aber den Versprechungen, wir würden zurückgehen, wenn erst einmal wieder bessere Zeiten kämen, konnte ich einfach nicht glauben. Ich mußte daran denken, was mir die Tante schon lange vor ihrem Tod gesagt hatte, zehn Jahre vorher vielleicht. Die Mädchen waren noch zu Hause. Ich weiß nicht mehr, wie wir darauf kamen, aber die Tante hatte gemeint, wir würden nicht mehr hier in diesem Haus sterben, viel zu hart sei das Leben in den Dörfern und die Jugend heutzutage nicht mehr bereit, all die Mühen auf sich zu nehmen. Ich weiß noch, daß ich ihr nicht widersprochen habe, eben ganz so, wie ich es gewohnt war, aber was sie sagte, fand ich schon sehr übertrieben. Bei mir dachte ich, es müsse wohl mit ihrem Alter zu tun haben, daß sie die Dinge nun mit anderen Augen sah. Doch als kurze Zeit darauf Elvira auf ihr Erbe verzichtete, zeigte sich, daß die Tante recht gehabt hatte. Das begriff ich damals aber noch nicht, denn da waren ja noch die anderen, und unbedarft wie ich war, dachte ich, das sei genug.

Eine Wolke aus Erinnerungen füllte jedes Zimmer, jeden noch so kleinen Winkel. Mit der Zeit würde nur noch die weiße Hülle zurückbleiben, ohne Gesichter, ohne Worte. Und wenn sich diese Wolke auch in meinen Erinnerungen in einen langsamen Regen auflöst, dann erlischt ein Teil des Lebens unserer Familie für immer. Die Eisenbetten mit den armseligen Heiligenbildern am Kopfende, die schiefen Wände und der große Holztisch mit den beiden Bänken, die dann nicht mehr darauf warten, daß einer kommt, um sich auf ihnen auszuruhen. Nach und nach werden Staub und Spinnweben sie bedekken, und irgendwann einmal schlägt dann der Sturm die ersten Kerben in das Holz. Zurück bleibt eine kleine Geschichte, und sollte sich eines Tages irgend jemand an sie erinnern und sie erzählen wollen, wird er in freundlich lächelnde Augen blicken, die ihn ganz offen anschauen.

Ach du meine Güte, wie doch die Zeit vergangen ist, wozu sollen solche Geschichten heute denn noch gut sein?

Barcelona, das ist ein Haus, dessen Fenster nicht zur Straße gehen. Sie schauen auf den Hausflur und den Dienstbotenaufzug.

Barcelona, das ist alles zu einer ganz bestimmten Uhrzeit. Davor ist es zu früh und danach schon wieder zu spät. Um halb acht am Morgen muß man die Haustür öffnen, im Winter um acht Uhr die Heizung anstellen, um zehn Uhr der Frau, die in der dritten Etage rechts saubermacht, den Wohnungsschlüssel aushändigen, um zwölf Uhr mittags die Post verteilen, um neun Uhr abends die Abfallkübel rausstellen und um zehn Uhr das Haus wieder zusperren …

Barcelona, das ist ein ferner Himmel und schreckhafte Sterne. Das ist ein feuchter Himmel und ein ganz grauer Regen.

Barcelona, das ist niemanden zu kennen. Nur die Familie. Und manchmal zu hören, wie mit merkwürdigen Worten gesprochen wird. Das ist zu vergessen, welche Laute die Tiere daheim von sich geben, um gegen Abend zu sehen, wie Hunde an einer Leine ausgeführt werden.

Barcelona, das ist ein kleines Brot, das jeden Tag aufgegessen wird, und das ist Milch aus einer Flasche, ganz weiß, ohne Rahm, und ganz dünn im Geschmack.

Barcelona, das ist Lärm ohne Worte und ein klebriges Schweigen, erfüllt mit ganz bestimmten Erinnerungen.

Und das ist niemanden zu sehen, der Mitleid mit mir haben könnte, und das ist zu sehen, wie die Enkel schwerbeladen mit Büchern von der Schule nach Hause kommen, und einen Apparat zu hören, der spricht und singt, und einen anderen, der redet und einen anschaut, aber ich bin mir nie sicher, ob auch ich gesehen werde.

Und das ist jeden Tag zu begreifen, daß ich nur noch zu ganz wenigen Arbeiten tauge. Manchmal nach dem Essen die Teller abspülen. Aber wer weiß, ob sie dann auch wirklich sauber sind. Und wenn am Abend Barcelona zu einer Geschichte von dort oben wird, dann ist da niemand, dem ich sie erzählen kann, und allen ist es lästig, daß aus diesem Abend in Barcelona ein Stück Abenteuer aus einer vergessenen Bergwelt werden soll.

Barcelona, das ist mehr und mehr zu begreifen, daß es besser ist zu schweigen. Bis sie mich irgend etwas fragen.

Barcelona in der Nacht, das ist jeden Tag eine Flucht. Sie beginnt mit einem langgezogenen Geräusch des

Aufzugs, und sie galoppiert durch Wälder und über schmale Pfade. Irgendwo dort oben bleibt sie stehen und lauscht den Glocken. Festtagsgeläut, Rosenkranz ..., erst wenn die Totenglocken läuten, kann ich einschlafen, und meine Träume sind dann lange Gespräche, die ich wach mit niemandem führen kann. Ganz oft ist das so, bis ich mit einem Lächeln aufwache oder vor Lachen fast lospruste wegen irgend etwas, worüber wir gerade gesprochen haben.

Manchmal ist Barcelona jemand aus Pallarès, der herunter in die Stadt gekommen ist, um zum Doktor zu gehen, und der einen schwachen Geruch nach Kuhmist oder Heu mitbringt, obwohl er sich doch gründlich gewaschen hat. Aber vielleicht schleppt er irgendwo unter seinen Fingernägeln oder in seinem Haar doch noch ein wenig von diesem Geruch nach Alltag mit sich herum, der mich so froh macht. Und dann frage ich nach allen, nach jeder Familie, die im Dorf geblieben ist, und nach allem, was mir in den Sinn kommt. Wenn jemand zu Besuch kommt, dann fallen sie mir nicht ins Wort. Manchmal machen sie sich ein wenig lustig über das, was ich sage. Das ist auch eine Art, wichtig zu sein, wo du doch genau weißt, daß du eine nutzlose, alte Frau geworden bist.

Barcelona, das ist für mich etwas sehr Schönes. Die letzte Stufe vor dem Friedhof.

EIN LEBEN, SO LANG

Anmerkungen zu einem katalanischen
Klassiker der Gegenwart

Wie ein Stein im Geröll ist mein erster Roman.
Mit ihm wollte ich einem der vielen namenlosen
Menschen eine Stimme geben, die wie ein
Stein im Geröll der Geschichte mitgerissen wurden.

Maria Barbal

Allzu selten liest man einen Roman, der sich in so konsequenter Weise bis zur letzten Zeile treu bleibt. Und allzu selten liest man auch einen Roman, der auf so uneitle Weise nur wahrhaftig sein will, nur diese eine Geschichte erzählen möchte, einfach weil sie erzählt werden muß, und sei es nur, wie mancher Kritiker meinte, um uns daran zu erinnern, was für eine kluge, nachdenkliche und schöne Tätigkeit das Schreiben doch sein kann. Maria Barbal hat uns mit ihrem Erstlingswerk einen solchen Roman geschenkt: Es sind kaum mehr als hundert Seiten, doch erzählen diese Seiten von einem ganzen, langen Leben.

Eine alte Frau wartet auf den Tod, und sie erinnert sich. Sie erinnert sich an ihre Kindheit und Jugend in einem abgeschiedenen Bergdorf in den katalanischen Pyrenäen, an ihr Elternhaus, das sie mit dreizehn Jahren verlassen muß, um bei Onkel und Tante zu leben, die sie kaum kennt. Sie erzählt von einem harten und entbehrungsreichen Leben, das bestimmt wird vom Lauf der Jahreszeiten, von der Arbeit auf den Wiesen und Feldern, aber auch von den kleinen alltäglichen Freuden, von den Besuchen der Vettern aus Barcelona, von Dorffesten, aber vor allem von Jaume, der einzig und allein auf der Welt zu sein scheint, um ihr all ihre Ängste zu nehmen. Und der immer ein Lächeln auf den Lippen hat und ihren Namen, Conxa, den Namen von etwas ganz Winzigem und Süßem. Conxas Ehe mit Jaume, das sind gute Jahre, die schönste Zeit ihres Lebens. Drei Kinder werden geboren, und ein Sommer wie der andere zieht ins Land, mit all der Arbeit, mit all den Sorgen, aber auch mit all den kleinen Glücksmomenten. Barcelona liegt weit entfernt. Conxa hat davon gehört, und auch vom Meer, sogar von Madrid, vom König, doch das kommt ihr so unwirklich vor wie eine dieser Geschichten, mit denen der Vater sie als Kind verzaubert hat. Und wenn Jaume ihr von den Dingen da draußen erzählt, von der Republik, von der Gerechtigkeit, vom freien Willen des Volkes und seine Augen dabei so leuchten, dann empfindet sie vor allem Angst, Angst davor, die Welt könne ihr ins Wanken geraten. Was dann aber geschieht, übertrifft ihre schlimmsten Befürchtungen, denn der Sieg der Faschisten ist nicht nur eine kollektive Tragödie, sondern zerstört unwiederbringlich auch ihr privates Glück. Jaume wird erschossen und in einem Massengrab verscharrt, und Conxa muß fortan ein Leben ohne Jaume leben, einfach weiterleben für ihre Kinder. Fast unbemerkt vergeht die Zeit, als wäre alles ohne Bedeutung. Die Kinder wachsen heran, und Conxa wird mehr und mehr von dem Gefühl beherrscht, nicht mehr gebraucht zu werden. Die Töchter heiraten, die ersten Enkelkinder kommen zur Welt, und der Sohn gibt den Hof auf, um mit der Schwiegertochter eine Portiersloge in Barcelona zu übernehmen. Conxa fügt sich, ohne aufzubegehren, und verläßt das Stückchen Erde, auf dem sie ihr Leben verbracht hat, um in einem Haus mit sieben Stockwerken zu leben, in einem Haus, das bis in den Himmel ragt, in einen fernen Himmel mit schreckhaften Sternen, und in einer Stadt, die ein kleines Brot ist, das jeden Tag aufgegessen wird, und Milch aus einer Flasche, ganz weiß, ohne Rahm, und ganz dünn im Geschmack. Für Conxa ist Barcelona aber auch etwas sehr Schönes. Es ist, wie sie sagt, die letzte Stufe vor dem Friedhof.

Mit großer Würde und ohne jegliche Larmoyanz schildert uns Conxa dieses Leben, seine Höhepunkte, entscheidenden Wendungen, aber auch ganz einfache Alltagsszenen. Keine groß angelegten Erzählstränge sind es, die den Rhythmus und die Struktur des Romans bestimmen, sondern exemplarische Momente, so wie eben die Erinnerung sie zu vergegenwärtigen vermag. Diese bewußt inszenierte Dynamik der Erinnerung zeigt sich auch innerhalb der einzelnen Kapitel, in den meist kurzen Sequenzen, die den Erinnerungskern in Bilder von geradezu emblematischer Stringenz verdichten. So etwa, als Conxa ihren Mann evoziert, wie er am Tag, als die Republik ausgerufen wird, in der Schule auf einen Tisch springt, um selbstbewußt das Konterfei des flüchtigen Königs abzuhängen. All das, was ihr Angst macht, aber auch all das, wofür Jaume steht, seine Überzeugungen und seine Leidenschaft, sind in dieser Momentaufnahme eingefangen. Diese exemplarischen Sequenzen aber reihen sich in einer streng linear verlaufenden Chronologie aneinander, wobei die drei Teile des Romans den drei Verlusten entsprechen, die Conxas Leben unwiderruflich geprägt haben: Zuerst verliert sie die Eltern und Geschwister, denn die Wege sind weit, und jeder wird nun einmal da gebraucht, wo er ist. Dann verliert sie Jaume, ein Verlust, der sie ein weiteres Mal seelisch verwaisen läßt, und schließlich ihre Heimat, das Dorf, die Berge, als sie mit Sohn und Schwiegertochter nach Barcelona ziehen muß.

Maria Barbal gelingt es, Conxas Lebensbericht eine unverstellte Authentizität zu verleihen, die entscheidend zur Stimmigkeit des Romans beiträgt. Nuancierter als es ein allwissender, aber außenstehender Erzähler jemals vermocht hätte, ermöglichen uns Conxas Erinnerungen eine Innenansicht jener heute versunkenen ruralen Welt als einer ganz eigenen Kultur, mit ganz eigenen Verhaltensnormen und Werten. So mögen Conxas Anpassungswille, ja ihr Hang zur Unterordnung wie auch ihr weibliches Rollenverständnis manchen Leser vielleicht etwas irritieren, nichtsdestotrotz ist sie als Erzählerin und als handelnde Figur psychologisch nicht nur in sich selbst stimmig, sondern auch innerhalb ihrer eigenen Lebenswelt. Erst als diese Welt versinkt, erst aus der rückschauenden Distanz in der Einsamkeit Barcelonas erwächst Conxas Einsicht in die Zwänge und Strukturen, die ihr Leben wie eine Naturbestimmung geprägt haben. Als Erzählerin ist sie wie ihre Erinnerungen: zuweilen zärtlich, zuweilen argwöhnisch, zuweilen spröde, zuweilen elegisch. Conxa verklärt keineswegs ihre verlorene Heimat, mit großer Eindringlichkeit aber bringt sie ihre Sehnsucht danach zum Ausdruck. Vielleicht wurde gerade deshalb immer wieder im Zusammenhang mit *Pedra de tartera*, so der katalanische Titel des Romans, von einem poetischen Realismus gesprochen. Doch trifft dies nur insofern zu, als daß der Roman keinen finster-dumpfen Naturalismus und keine rückwärtsgewandte Gartenlaubenidylle entstehen läßt. Maria Barbal vermag es vielmehr, das Fremde und zugleich Vertraute von Conxas Lebenswelt nachvollziehbar zu machen: Fremd sind uns zweifelsohne die sozialen und mentalen Grundlagen dieser Welt geworden, vertraut geblieben sind uns aber sicherlich ihre menschlichen, allzu menschlichen Glücksverheißungen.

Die entscheidende Wende des Romans stellt der Bürgerkrieg dar, dieser Ausbruch an Gewalt, vor dem Conxa sich seit langem unbewußt fürchtet und der ihren Mann mit sich fortreißt. Jaumes Tod wird in den historischen Kontext jener planmäßig durchgeführten Säuberungsaktionen eingebettet, die stets dem Vormarsch der Franco-Armee folgten und deren erklärtes Ziel es war, die Bevölkerung der eroberten Gebiete zu terrorisieren und sie auf diese Weise für das neue, klerikalfaschistische Spanien gefügig zu machen. Vor allem aber wurde Katalonien zur Rechenschaft gezogen, galt es doch, eine Region zu bestrafen, die sich – ebenso wie das Baskenland – schon durch die Treue zur eigenen Sprache gegen das nationale Einheitsdogma aufgelehnt und gar eine eigene Staatlichkeit angestrebt hatte. Wie in allen zuvor eroberten Gebieten waren es dabei nicht nur bekannte Persönlichkeiten oder maßgebende Politiker der Republik, die in Katalonien Opfer dieser Säuberungen wurden. Der weiße Terror richtete sich auch hier vorrangig gegen die soziale Basis der Linksparteien: Lehrer, Angestellte, Arbeiter, kleine und landlose Bauern. Darin entlarvte sich zweifelsohne die wahre Natur der von General Franco geführten Rebellion. Es war ein Klassenkrieg, der von einer unheiligen Allianz aus Oligarchie, Kirche und Militär gegen eine Republik geführt wurde, die es gewagt hatte, soziale Reformen anzustreben, Großgrundbesitz zu vergesellschaften und eine konsequent laizistische Verfassung zu beschließen. Vor allem »kleine Leute« waren es, Leute wie Jaume, die verfolgt und ermordet wurden. Ihr bloßes Eintreten für die Republik war oftmals Grund genug, um sie auf eine jener berüchtigten schwarzen Listen zu setzen, die nicht selten – wie auch im Roman selbst – aufgrund von Denunziationen der Helfershelfer und Profiteure des Putsches aufgestellt wurden. Dabei wurde den Abertausenden von Ermordeten oftmals noch nicht einmal die Würde eines eigenen Grabes zugestanden, und selbst der Ort, an dem man sie verscharrt hatte, wurde meist geheimgehalten. Von ihnen blieb nur ihre Abwesenheit, eine Leere in ihren Familien, stechend und tief, nur ein verordnetes, bleiernes Schweigen. Jaumes einziges Grab sind die Erinnerungen Conxas. Hier lebt er weiter, hier kann sie sich den Klang seiner Stimme vergegenwärtigen, das Lächeln auf seinen Lippen. Für den katalanischen und spanischen Leser ist Jaume aber auch gleichsam das Symbol jener jungen Republik, die verraten und gemeuchelt wurde, und so verkörpert er – voller Illusionen, altruistisch und solidarisch – das Beste, was die spanische Republik hervorgebracht hat und wofür sie noch heute im historischen Gedächtnis vieler Spanier steht. Und so steht auch die Trauer, die Conxa bis zuletzt unbewältigt in sich trägt, stellvertretend für die Trauer um die große Hoffnung, die diese Republik einst bedeutet hat. Conxa, das ist Katalonien, das ist Spanien, und Jaume, das ist die Republik, die Spanien von all seinen alten Dämonen befreien wollte.

Als Maria Barbal 1984 mit diesem, ihrem ersten Roman für den Joaquim-Ruyra-Preis nominiert wurde, war sie sich durchaus bewußt, daß sie sich mit *Pedra de tartera* gegen den literarischen Zeitgeist positionierte. Was die Kritiker und Verlage damals zu bevorzugen schienen, war eine Literatur, die sich selbst in ihrer Gemachtheit thematisierte und die sich vor allem als Spiel mit Genres und Erzähltraditionen verstand. Nicht zuletzt gehörte es zum ästhetisch guten Ton, Stadtliteratur zu schreiben, dazu beizutragen, Barcelona als pulsierender Metropole ein postmodernes literarisches Denkmal zu setzen. Politisch nicht ganz opportun war es zudem, einen Roman zu schreiben, der die gesellschaftlich wie juristisch noch unbewältigte Vergangenheit des faschistischen Terrors während des Bürgerkriegs und unmittelbar danach zum Thema hatte. Die neue Demokratie, die nach dem Tod des Diktators (1975) entstanden war, sollte auf Konsens, auf Wiederversöhnung aller politischen und gesellschaftlichen Lager aufgebaut werden; die Wunden der Vergangenheit, so meinte man, dürften nicht wieder aufgerissen werden. Und so wurde aus diesem Versöhnungspakt, der die Demokratie ermöglichte, vor allem ein Pakt des Schweigens, ja des Verdrängens. Wie konnte also ein Roman, der in so offenkundiger Weise ohne Rücksicht auf Moden und politische Konjunkturen geschrieben war, die Juroren überzeugen? Vielleicht war es die Erkenntnis, daß das katalanische Lesepublikum sehr wohl bereit und willens war, sich dem politisch verordneten Verdrängen zu entziehen, auch wenn dies zuerst einmal nur im literarischen Feld geschehen konnte. Der Roman erlaubt, ja er verlangt geradezu eine politische Lektüre, doch läßt er sich darin keineswegs sinnhaft erschöpfen. Dies gilt nicht zuletzt auch für die Thematik der Landflucht, die den soziohistorischen Kontext des letzten Teils bildet, denn zweifelsohne erweist sich die Auswanderung nach Barcelona, der Verlust der zwar kargen und entbehrungsreichen, doch so vertrauten, ja identitätsstiftenden Heimat als ein weiteres Trauma in Conxas

Leben. Maria Barbal hat mit *Pedra de tartera* einer Welt, die es heute nicht mehr gibt, ein literarisches Denkmal setzen wollen: einer bäuerlichen Kultur, die die Bergdörfer der Pyrenäen bis in die sechziger Jahre des vorigen Jahrhunderts prägte. Mit großer Empathie, ja mit geradezu ethnographischer Sorgfalt läßt die Autorin diese versunkene Welt in den Erinnerungen Conxas wiederauferstehen, und es gelingt ihr ebenso, den allgegenwärtigen Verlustschmerz der einstigen Bäuerin nachvollziehbar zu machen, der bis zuletzt Conxas uneigentliches Leben in der nie zur Heimat gewordenen großen, anonymen Stadt bestimmt. So stellt auch hier die Geschichte, die »große« Geschichte, den Resonanzboden dieser »kleinen« Geschichte dar, wie Conxa selbst einmal ihr Leben, ihre Erinnerung bezeichnet. Deren Sujet aber bleibt das verlorene, für einen kurzen Augenblick in Händen gehaltene Glück.

In mancher Hinsicht stellt sich *Pedra de tartera* selbstbewußt in die Tradition von *La plaça del Diamant* (1962) (auf Deutsch erschienen unter dem Titel: *Auf der Plaça del Diamant)*, jenes wirkungsmächtigen Romans von Mercè Rodoreda, der *grande dame* der katalanischen Literatur des zwanzigsten Jahrhunderts und zugleich auch das zuweilen erdrückende Über-Ich der nachfolgenden Generationen weiblicher Autoren Kataloniens. So entfalten beide Romane aus der Perspektive einer vom Bürgerkrieg traumatisierten Frau eine Familiengeschichte und zugleich auch ein Sittengemälde aus dem Alltag der sogenannten kleinen Leute. Diese eingeschränkte Perspektivierung vermag es, die Innen- und Außenwelt der jeweiligen Protagonistin im Horizont ihrer eigenen Wahrnehmung, ihrer eigenen Gefühle nachvollziehbar zu machen. Beide Romane werden zudem vom Anspruch getragen, die – auch literarische – Würde eines solchen Frauenlebens zu bezeugen. Ausdruck dieser Würde ist die Nachhaltigkeit, mit der Mercè Rodoreda und Maria Barbal ihre Figuren psychologisch nuanciert haben, so etwa in der ganz unterschiedlichen Begründung ihrer Ängste, ihres Fremdbestimmtseins, ja ihrer Passivität. Aber auch die eigentümliche poetische Kraft, die beiden Lebensberichten eigen ist, erweist sich als ein Zeichen dieser Würde. Vermag es Mercè Rodoreda mit ihrer Colometa, dem volkstümlich-städtischen Katalanischen ein literarisches Denkmal zu setzen, gelingt dies Maria Barbal im Hinblick auf das dialektale Katalanisch ihrer Heimat. In beiden Fällen ist es aber nicht bloße Nachahmung, sondern literarische Schöpfung. Dabei ist Conxas Sprache die Sprache einer »bildungsfernen« Frau, eine Sprache des mündlichen und zuweilen sperrigen Ausdrucks, eine Sprache, die sich immer wieder in der Materialität der Welt ihre Bilder und Vergleiche sucht. Mitunter entstehen gar fremd anmutende Bilder, doch Bilder von großer poetischer Kraft. Man erinnere sich etwa an den titelgebenden Vergleich, mit dem Conxa so etwas wie eine Quintessenz ihres Lebens auszudrücken versucht: »Ich fühle mich wie ein Stein im Geröll. Wenn irgend jemand oder irgend etwas mich anstößt, werde ich mit den anderen fallen und herunterrollen; wenn mir aber niemand einen Stoß versetzt, werde ich einfach hierbleiben, ohne mich zu rühren, einen Tag um den anderen …«

Nie läßt uns Maria Barbal vergessen, daß es Conxa ist, die ihre Geschichte erzählt. Abstrakte Reflektion und eine allzu empfindsame Selbstbeobachtung sind ihr fremd. Sie stammt aus einer Welt, in der Gefühle selten verbalisiert werden, und obgleich sie es immer wieder versucht, ist sie nicht imstande, die Liebe, die sie für Jaume empfindet, in Worte zu fassen. Das Gefühlsvokabular gehört eben nicht zu ihrem Wortschatz. Wenn sie es dennoch versucht, dann entstehen Körperbilder von ganz eigener und ganz eigenwilliger Schönheit und Prägnanz, wie etwa diese nachgetragenen Liebeserklärungen an ihren Mann: »Wie eine Rose in all ihrer Pracht war er, als sie ihn mir entrissen, und mir blieb nur diese eine letzte Erinnerung: ein kleiner Funke in seinem Blick, ein so seltsames Lebewohl.« Denn vor allem erzählt uns *Pedra de tartera* eine schöne, ja eine wunderschöne Liebesgeschichte, die uns, weil sie so sehr mit dem Alltag verwoben ist, noch ergreifender, noch bewegender erscheint: die Geschichte einer Liebe, die das Leben einer Frau ganz zu erfüllen vermocht hat, die Liebe zu einem Mann, der in ihr etwas ganz Kostbares entdeckt, sie vor ihren Ängsten und der Unwirtlichkeit der Welt beschützt, bis mit seinem Tod die schlimmste ihrer Ängste wahr wird, und sie selbst verlorengeht. Die Erinnerung an das Glück aber, das ihr für einige Jahre mit Jaume vergönnt war, diese Erinnerung wird niemals verblassen, und niemand wird sie ihr jemals nehmen können. Dieses Glück leuchtet in der Mitte dieser Geschichte »com un miracle«, wie ein Wunder.

Mit *Pedra de tartera* hat Maria Barbal eine Hommage an die Generation ihrer Großmutter geschrieben, an diese Generation von schwarzgekleideten Frauen, die 1985, als der Roman zum ersten Mal erschien, etwa so alt wie das Jahrhundert waren, und die uns heute aus längst vergilbten Familienalben anzustarren scheinen, ernst und seltsam entrückt, so vertraut und doch so fremd. Nicht zuletzt hat Maria Barbal aber auch ein Zeugnis ablegen wollen, das stellvertretend für all die unzähligen spanischen und katalanischen Frauen stehen soll, denen es verwehrt wurde, ihre Toten zu begraben, und die deshalb in einer nie enden wollenden Trauer ohne Abschied und ohne Tränen erstarrt sind: ein Zeugnis über eine Zeit, die die übergroße Mehrheit der heutigen Leser nur aus Geschichtsbüchern kennt, und ein Zeugnis über ein Land, das mit der Wiedereinführung der Demokratie ein ganz anderes, ein besseres wurde, selbst wenn es nicht das Land geworden ist, von dem Jaume träumte und für das er sein Leben gab. Von Anfang an haben die katalanischen Leserinnen und Leser die Wahrhaftigkeit von Maria Barbals stellvertretendem Zeugnis erkannt. Mit mehr als fünfzig Auflagen gehört dieser Roman zu den meistverkauften Bestsellern der katalanischen Gegenwartsliteratur. Heute hat *Pedra de tartera* in den katalanischen Ländern längst den Status eines Klassikers erreicht – auch im engeren Sinne dessen, was man unter Klassiker versteht –, denn dieser Roman wird nicht nur immer wieder gern als Schullektüre herangezogen, es liegt auch eine Mappe mit ausführlichen didaktischen Materialien dazu vor, die vom katalanischen Kultusministerium herausgegeben wurde.

Maria Barbals Werk umfaßt heute sechs weitere Romane, drei Erzählbände sowie mehrere Kinderbücher und ein Theaterstück. Mit vollem Recht gilt sie als eine der wichtigsten Stimmen der katalanischen Gegenwartsliteratur. Dabei reicht ihre thematische Vielfalt von der südspanischen Emigration nach Barcelona (*Carrer Bolivia*, 1999), einem in der zeitgenössischen katalanischen Literatur bislang vernachlässigten, ja vermiedenen Thema, das die Autorin im Horizont ihrer eigenen, innerkatalanischen Migrationserfahrung mit großer Empathie zu verhandeln weiß, bis hin zu *Bella edat* (2003, auf Deutsch: ›Schönes Alter‹) einem nachdenklichen Roman, in dem aus verschiedenen Perspektiven über den Verlust der Jugend und die Aporien der Schönheit reflektiert wird. Auch Maria Barbals vorletztes Werk, das mit dem angesehenen Prudenci-Bertrana-Preis ausgezeichnete *País íntim* (›Inneres Land‹, 2005), hat es vermocht, Kritik und Lesepublikum gleichermaßen zu überzeugen. Hier, in Form einer imaginierten Ansprache, versucht die Ich-Erzählerin, in das »innere Land« ihrer Mutter vorzudringen, dem Eigensinn und der scheinbaren Härte dieser Mutter auf den Grund zu gehen, die zeitlebens unfähig war, sich der Tochter zu öffnen, ihr Zärtlichkeit und Nähe zu geben. Erst am Ende, nachdem Rita, so heißt die nunmehr etwa fünfzigjährige Tochter, sich selbst über das eigene Leben und somit auch über die verschiedenen Phasen des Mutter-Tochter-Verhältnisses eine Art Rechenschaftsbericht abgelegt hat, vermag sie zu erkennen, daß die vermeintliche Kälte und die angstbesetzten Obsessionen ihrer Mutter Ausdruck einer unaufhörlichen Trauer sind: Trauer um den Vater, um Ritas Großvater also, der – ebenso wie Jaume – kurz vor Kriegsende eines Morgens von faschistischen Soldaten abgeholt wurde und nie zurückkam. Auch er hat kein Grab hinterlassen können, nur diesen dumpfen Schmerz und diese bedrohliche Leere im Lebensgefühl seiner Frau und seiner

Tochter. So hat Maria Barbal mit *País intim* zwanzig Jahre nach *Pedra de tartera* gleichsam dessen Fortsetzung aus der Sicht von Conxas Enkelin geschrieben und zugleich einen eindringlichen Roman über die Übertragung des Traumas des Bürgerkriegs von einer Generation zur nächsten, unaufhörlich und unaufhaltsam, solange bis diese Toten, die einst verscharrt wurden, ein – und sei es nur symbolisches – Grab bekommen, damit die noch Lebenden endlich von ihnen Abschied nehmen können.

POSTSKRIPTUM

Maria Barbals unverzichtbare Generation

Als im Januar 1939, nach drei langen, zermürben-
den Kriegsjahren, die Francotruppen in Barcelona
einmarschierten, in dieses Barcelona, das sich zur
Hauptstadt eines konföderierten, quasi unabhängi-
gen *estat català* erhoben hatte, schafften sie nicht
nur – wie überall sonst auch – alle elementaren Frei-
heiten und demokratischen Rechte ab. Die mit der
Kulturpolitik beauftragte Falange, eine von Franco
domestizierte faschistische Partei, hatte die im Zeichen eines gesamtspanischen Nationalismus seit jeher tradierte Vorstellung, daß es in einem Reich nur
einen Gott, nur ein Schwert und auch nur eine Sprache geben darf, zum Leitgedanken ihrer kulturellen
Neuordnung, ja der Gleichschaltung Kataloniens erhoben. Die Voraussetzungen dafür schienen durchaus gegeben zu sein. Die katalanistisch gesinnte po-

litische Elite war tot, im Gefängnis oder im Exil. Auch die intellektuelle und künstlerische Avantgarde hatte Katalonien verlassen müssen: Ihr galt nicht nur die Haßtirade »¡Muera la inteligencia!« (»Tod der Intelligenz!«), die der General Millán Astray in Salamanca den Studenten entgegengeschleudert hatte und die ganz Spanien zu einem kulturellen Friedhof werden ließ, sondern auch die tiefverwurzelte Abneigung der Diktatur gegenüber dem Katalanischen als Sprache der Separatisten, als Sprache derjenigen, die angeblich die sakralisierte Einheit Spaniens mit jedem katalanischen Wort, mit jedem auch noch so banalen katalanischen Satz unterwanderten. Der öffentliche Gebrauch des Katalanischen wurde alsbald verboten und unter Strafe gestellt. In der Schule durfte es nicht mehr gelehrt werden, selbst auf dem Schulhof war es tabuisiert. Nicht einmal Visitenkarten durften auf Katalanisch gedruckt werden. Aus Pere wurde Pedro, aus Joan wurde Juan. »¡Sea patriota, hable español!« (»Sei ein Patriot, sprich Spanisch!«) Dies war das drohende Motto der Sprachenpolitik der Sieger, die, wie der Schriftsteller und Philosoph Miguel de Unamuno vorhergesagt hatte, zwar zu siegen, jedoch nicht zu überzeugen verstanden: »¡Venceréis, pero no convencereis!« Die franquistische Besatzungsmacht versuchte, die Geschichte Kataloniens neu zu schreiben, indem sie Straßennamen änderte und hispanisierte, Statuen abmontieren ließ, der Stadt einen kollektiven Verdrängungs-prozeß verordnete. Bis zum Tod des Diktators, der bekanntlich recht schnell zur vielbestaunten Selbst-demontage des Regimes führte, fast vierzig Jahre also blieb diese repressive Sprachenpolitik im wesent-lichen bestehen, wenn auch die stets argwöhnische Zensur in zunehmender Weise unterwandert und überlistet wurde. Durfte man in der unmittelbaren Nachkriegszeit nur Frömmigkeitsliteratur, Märchen-bücher oder mittelalterliche Klassiker auf Katalanisch verlegen, wurden in den darauffolgenden Jahren die Bestimmungen allmählich gelockert und das Ver-öffentlichen zeitgenössischer Texte wieder erlaubt. Diese bis zuletzt äußerst prekäre Liberalisierung darf aber nicht über die Tatsache hinwegtäuschen, daß das Francoregime nie von seinem Ziel abgerückt ist, Katalonien auch sprachlich zu hispanisieren und die katalanische Kultur in die Folklore und in die Museen zu verbannen. Alle in der Nachkriegszeit geborenen Katalanen waren durch den Franquismus in dem Glauben erzogen worden, ihre Mutterspra-che, das Katalanische, sei angesichts einer vollkom-menen spanischen Norm nichts als ein minder-wertiger Dialekt und daher ungeeignet, Träger einer Kultur zu sein. Wenn sie diese Sprache dennoch erwarben und mündlich gebrauchten, so geschah dies daher ohne Kenntnis der schriftlichen Tradi-tion.

Die heutige katalanische Literatur, die im letzten Vierteljahrhundert durch die Einführung des Katalanischen als Unterrichtssprache in Schulen und an Universitäten ein breites Lesepublikum hat gewinnen können, ist zu einer im positiven Sinne des Wortes »normalen« europäischen Literatur geworden – und zudem zu einer besonders lebendigen, konnte sie doch ihren vom Bürgerkrieg jäh unterbrochenen Elan wiederfinden, den sie bereits in den zwanziger und dreißiger Jahren gezeigt hatte. Dies alles aber wäre nicht möglich gewesen, wenn es nicht jene Generation von katalanischen Schriftstellern gegeben hätte, die sich nach dem Krieg, sei es im Exil, sei es im Lande selbst, trotz des Franquismus und einer übermächtigen kastilischsprachigen Literatur selbstlos dafür einsetzten, wie es Salvador Espriu formulierte, »per salvar-nos els mots« (»um uns die Wörter zu retten«). Es waren nicht viele, und es konnten nicht viele sein, die in den harten Jahren der franquistischen Kulturpolitik eine solche Aufgabe übernahmen. Es fehlte ihnen an fast allem, insbesondere an einem Verlagsapparat, der bereit gewesen wäre, das finanzielle und politische Risiko auf sich zu nehmen, durch Veröffentlichungen in einer zumindest teiltabuisierten Sprache die Zensur herauszufordern; und es fehlte ihnen an einer literarischen Öffentlichkeit, umfassender als jene »knapp dreihundert Leser«, von denen die katalanischen

Schriftsteller noch zu Anfang der sechziger Jahre mit einer gewissen Selbstironie gesprochen haben. Aufgrund der franquistischen Schulpolitik vermochte die übergroße Mehrheit der katalanischen Sprecher die eigene Sprache ja weder zu schreiben noch zu lesen. Erstaunlicherweise hat sich dennoch in den fünfziger und sechziger Jahren der katalanische Roman neu ausgebildet und eine, wenn anfänglich auch nur kleine, Leserschaft gefunden. Hier sei lediglich auf Autoren wie Mercè Rodoreda und Manuel de Pedrolo, Joan Perucho und Maria Aurèlia Capmany verwiesen, in deren Werken sich ein neuerwachtes literarisches und historisches Selbstbewußtsein artikuliert. Der Beginn der siebziger Jahre markierte dann das selbstbewußte Auftreten einer neuen Generation katalanischer Schriftsteller. Zu dieser, sich anfangs zuweilen ikonoklastisch gebärdenden Generation gehören Autoren wie Montserrat Roig und Quim Monzó, Terenci Moix und Baltasar Porcel, Maria-Antònia Oliver und Carme Riera, Antònica Vicens und Jesús Moncada. Angeregt wurde diese in sich eklektische Generation vom Krisenbewußtsein des französischen *nouveau roman*, aber paradoxerweise im gleichen Maße auch vom libertären Geist der lateinamerikanischen Literatur und hierbei insbesondere vom magischen Realismus eines Gabriel García Márquez, der sich damals in Barcelona aufhielt. Sie alle verband ihr jugendliches Aufbegehren gegen ein katalanisches Lesepublikum wie das von Barcelona um 1970, das in der Atmosphäre eines asketischen Bekennertums kulturell sozialisiert war. Begünstigt wurde dieser Generationswechsel durch die äußerst zaghafte und – wie man immer wieder leidvoll erfahren mußte – jederzeit kündbare Liberalisierung der Kulturpolitik, mit der das um das eigene Überleben kämpfende Regime angesichts des hohen Alters des Diktators seinen guten Willen, ja seine Europatauglichkeit für die Zeit nach Franco ankündigen wollte. In diesem wenngleich prekären, so doch hoffnungsschwangeren Kontext und auch danach, während der bewegten *transición*, gelang es dieser Generation in den siebziger Jahren, ein Lesepublikum an die katalanische Literatur zu binden, das zwar immer noch minoritär war, aber bereits bedeutend genug, um ein eigenes kulturelles Leben zu sichern.

Auch wenn sie vergleichsweise spät, erst Mitte der achtziger Jahre zu publizieren begann, gehört die 1949 geborene Maria Barbal vom Alter her zu dieser zweiten literarischen Generation. In gewissem Sinne läutete ihr Erstlingswerk sogar den Anfang eines neuen generationellen Zyklus mit ein, war doch diese Generation im Zeichen eines vom Mai 1968 geprägten, letztlich neoromantischen Aufbruchsgeistes angetreten und hatte vorrangig sich selbst mit ihrer so lang aufgestauten Wut und ihrem unbändigen Sehnen nach einem anderen Leben, »nord enllà«, in

einem ganz anderen Land thematisiert. Ein Roman-
titel aus dieser Zeit vermag all dies zu evozieren:
Oferiu flors als rebels que fracassaren (›Schenkt Blumen den Rebellen, die gescheitert sind‹, 1973) von
Oriol Pi de Cabanyes. Nun aber, in den achtziger
Jahren, begann diese zwischenzeitlich von den Aporien der einst paktierten und nunmehr real existie-
renden Demokratie ideologisch zermürbte Generation sich in zunehmender Weise einer Literatur der
Erinnerung zuzuwenden, die weit mehr als die Bles-
suren der Adoleszenz und die verlorenen Paradiese
der Kindheit zu Tage fördern wollte. Das testimoni-
ale Eingedenken galt jetzt – wie *Pedra de tartera* in
geradezu paradigmatischer Weise zeigt – der Zeit der
Eltern und Großeltern, so als ob diese literarische
Generation jene Erinnerungsorte dem Vergessen entreißen wollte, die von der selbstherrlichen Gegenwart verleugnet wurden.

Maria Barbals Generation ist aber weit mehr zu
verdanken als diese Zeiten und Orte der Erinnerung. Hätte sie sich für das Spanische als Literatursprache entschieden – alles schien ja dafür zu sprechen: der Druck des Regimes, der infolge der massiven,
vor allem südspanischen Einwanderung bilingual ge-
wordene Alltag der katalanischen Länder, das größere Publikum, die besseren Verlagsangebote – wäre
die katalanische Literatur heute vielleicht eine resi-
duale Angelegenheit, so wie es beim Okzitanischen

der Fall ist. Dann hätte sich wiederholt, was schon einmal geschehen war, als sich die Literaten in der frühen Neuzeit zugunsten des Kastilischen vom Katalanischen abgewandt hatten. Umsonst wäre dann die mühsame *Renaixença* (›Wiedergeburt‹) der katalanischen Literatur im neunzehnten Jahrhundert gewesen, die als Ausdruck eines neuerwachten nationalen Bewußtseins an das Goldene Zeitalter der katalanischen Kultur im Mittelalter anknüpfen wollte. Umsonst dann auch der fulminante Anschluß an die europäische Moderne, so wie ihn die katalanischen Schriftsteller und Künstler zu Beginn des letzten Jahrhunderts vollbracht hatten. Maria Barbals Generation aber ist dem Katalanischen als Literatursprache treu geblieben. Sie hat jene Wörter, die von den Autoren der unmittelbaren Nachkriegszeit über die »lange Nacht des Schweigens« hinweg gerettet worden waren, auch zu ihren eigenen gemacht und an die nachfolgende, an die heutige Generation weitergereicht, damit diese Wörter – »només fràgils mots de la nostra llengua, arrel i llavor« (»nur zerbrechliche Worte unserer Sprache, Wurzel und Samen«) – literarisch weiterleben, damit die katalanischen Schriftstellerinnen und Schriftsteller all das, was sie empfinden und denken, auch weiterhin in ihrer eigenen Sprache ausdrücken können.

NACHTRAG ZUR TASCHENBUCHAUSGABE

Katalonien ist überall

Auch im deutschsprachigen Raum ist *Wie ein Stein im Geröll* ein Erfolg geworden. Über zehn Wochen hat sich der Roman – neben Harry Potter und Donna Leon – auf den Bestsellerlisten behaupten können, ohne daß dieses schmale Buch eine der ansonsten marktüblichen Voraussetzungen erfüllen würde. So ließen weder die Autorin, Maria Barbal, ein bis dahin in Deutschland gänzlich unbekannter Name, noch ihr Herkunftsland, Katalonien, das als Kulturlandschaft bislang so selten wahrgenommen wurde, daß sich viele nicht einmal sicher waren, ob es nicht vielleicht doch »Katalanien« heißen muß, die große Publikumsresonanz voraussehen, die die deutsche Übersetzung von *Pedra de tartera* errungen hat und die sie weiterhin genießt. Wir alle – die Übersetzerin, die vom Text so überzeugt war, daß sie sich gegen alle Usanzen selbst auf die Suche nach einem Verlag gemacht hatte, ein Verleger, der sich von ihrer Begeisterung anstecken ließ und sich dementsprechend für das Buch stark gemacht hat, ich selbst als Autor dieses Nachworts, der von dem Wunsch beseelt war, man müsse diesem Roman, der uns Katalanen so viel bedeutet, irgendwie beistehen, damit er auch im deutschsprachigen Raum wahrgenommen wird –, wir alle sind von diesem Erfolg überrascht worden. Schon während der öffentlichen Lesungen auf der Leipziger Buchmesse, also noch vor dem eigentlichen medialen Großereignis in Frankfurt, wo Katalonien 2007 zu Gast war, konnte man die Empathie spüren, die die deutsche Stimme von Conxa bei den Zuhörern zu wecken vermochte. Selbst dort, mitten im dumpfen Stimmengewirr der Messehallen, gelang es dieser so leisen Stimme, sich Gehör zu verschaffen.

Von Anfang an war es die kunstvolle Einfachheit dieser Sprache, die zu überzeugen verstand, die eigentümliche Emphase einer Erzählstimme, die gerade dann am eindringlichsten wirkt, wenn sie sich ganz zurücknimmt, sich fast an der Grenze des Schweigens entfaltet. Ja, es ist zweifelsohne die »große Leichtigkeit«, von der Bernadette Conrad in *Die Zeit* spricht und mit der Conxas Stimme zugleich »Fülle und Kargheit« auszudrücken vermag, die von Anfang an überzeugt hat, wohl aber auch der nicht minder effektvolle Erzählrhythmus, der ohne Substanzverlust Jahre in nur wenige Worte zu verdichten weiß, während mit gleicher, wenn auch entgegengesetzter Intensität, einzelne und scheinbar belanglose Momente des bäuerlich geprägten Alltags Conxas elegisch ausgedehnt werden. Elke Heidenreich sprach im Auftakt ihrer Sendung Lesen! gar von einer »Sensation«. »So ein schmales, ruhiges Buch«, empfand sie, »es enthält nicht nur ein ganzes Leben, es enthält eine ganze verschwindende Welt.« Und sie fügte hinzu: »Dieses Buch ist von einer Ruhe, Kraft und Schönheit, die überwältigend ist. Ich habe so was lange nicht gelesen. Und es lehrt uns, wie kurz unser Leben ist, und was eigentlich wirklich wichtig ist – letztlich nur lieben, geliebt werden, aufrecht bleiben und sich ein Gefühl für Schönheit bewahren.« Eine solchermaßen fulminante Aufforderung zum Lesen verhallte nicht ungehört, zumal sich bereits von Mund zu Mund, von Buchhandlung zu Buchhandlung, von Blog zu Blog eine Kette gebildet hatte, die den Roman weiterempfahl.

Und auch die Feuilletons zeigten sich von *Wie ein Stein im Geröll* überzeugt. Daß sich »auf den gerade mal hundert Seiten die große Historie des zwanzigsten Jahrhunderts in der kleinen« spiegelt, betonte etwa Florian Welle in der *Süddeutschen Zeitung,* und auch daß *Wie ein Stein im Geröll* auf mehreren Ebenen gelesen werden kann, »als politischer Roman, als gesellschaftliches Gemälde und Schicksal einer bildungsarmen, ihr ganzes Leben hart arbeitenden Frau«. Nicht umsonst, so hob er hervor, sei »das Wort Arbeit wohl das am häufigsten verwendete des Buches«. Dabei läge die Bedeutung dieses Romans darin, so Martin Zähringer in der *Frankfurter Rundschau*, »daß er den Zement des Vergessens sprengt und klare Erinnerungen an das Leben befreit«. Von einer »großen und längst notwendigen Entdeckung« sprach Werner Gerstenauer in der *Wiener Zeitung*, »ein literarisches Meisterstück« begeisterte sich Cornelia Staudacher in der *Stuttgarter Zeitung*, schlichtweg »ein Stück Weltliteratur« urteilte gar Christine Hunziger im schweizerischen *Comedia-Magazin*. Eine solche mediale Einstimmigkeit, ja Emphase ist selten und umso außergewöhnlicher, als daß es sich bei diesem Roman um ein Buch handelt, dem kein mächtiger Marketing- und Vertriebsapparat zur Verfügung stand.

Wie aber läßt sich eine solch auffallende Übereinstimmung in der Beurteilung erklären? Abgesehen von den bereits angesprochenen Qualitäten des Buches liegt ein weiterer und für mich wesentlicher Grund sicherlich in der ungewöhnlichen Projektionsfläche, die *Wie ein Stein im Geröll* auch seinem deutschsprachigen Lesepublikum bietet. So konnten wir auf all den vielen Lesungen, die Maria Barbal bislang in Deutschland gehalten hat, immer die gleiche Erfahrung machen. Ob in Hannover oder Ulm, in Ravensburg oder Berlin, in Tübingen oder Bad Berleburg, überall war in der anschließenden Diskussion zu spüren, wieviel Identifikationspotential in diesem schmalen Buch steckt, wie universell seine Thematik und sein Anliegen ist, selbst wenn das, was in ihm erzählt wird, in so engmaschiger Weise mit der katalanisch-spanischen Geschichte des zwanzigsten Jahrhunderts verwoben ist. Conxas Erinnerungen führen uns in die karge, dünn besiedelte Bergwelt der katalanischen Pyrenäen, in eine längst versunkene bäuerliche Welt, die einen ganz anderen Menschenschlag und zuweilen auch ganz andere soziale Gefüge hervorgebracht hat, als die, die wir in Deutschland kennen. Ein hartes und entbehrungsreiches Leben, Armut und Abhängigkeit, Entwurzelung und Verlust, Trauer und manchmal auch unbändiger Zorn, das Gefühl, sich selbst zu verlieren und dennoch weiterleben, weil es in diesem einen Leben keine andere Alternative als den Tod gibt: All dies sind aber keine kultur- oder epochengebundenen, sondern ganz universelle Erfahrungen. Von daher die Faszination, die von diesem kleinen Buch ausgeht. Es erzählt von einem ganz konkreten Land in einer ganz konkreten Zeit, und dennoch vermag es Allgemeingültiges zu erzählen. Aber nicht nur, weil sich Conxas Geschichte auch anderswo, unter ganz anderen Himmeln hätte abspielen können, ja sich unter anderen Umständen und zu anderen Zeiten tausendfach abgespielt hat. Allgemeingültiges meint auch, daß uns dieser Roman zeigt, daß jeder – so wie es für Conxa ihre Liebe zu Jaume war – etwas ganz Kostbares in sich trägt, etwas, das ihm weder Krieg noch Verfolgung, weder das Leben noch die Zeit, nichts von all dem, was uns zermürben oder zerstören will, jemals wird entreißen können. Vielleicht hat Elke Heidenreich ganz genau das gemeint, als sie davon sprach, daß *Wie ein Stein im Geröll* etwas hat, »was nur ganz wenige Bücher ganz selten haben. Man liest es und bekommt Kraft.«

Über den Autor des Nachwortes

Pere Joan Tous wurde in Capdepera (Mallorca) geboren und lehrt heute als Literaturwissenschaftler an der Universität Konstanz.

MARIA BARBAL IM GESPRÄCH

Aus dem Katalanischen übersetzt von Ursula Bachhausen

Was war für Sie der Anlaß, diese besondere Geschichte, Conxas Geschichte, zu schreiben?

Ich mußte mich mitteilen, denn meine Eltern waren tief getroffen vom Spanischen Bürgerkrieg und der darauffolgenden Militärdiktatur, deren erste Jahre noch härter waren als die, die meine Generation später erleben mußte. Ausgegangen bin ich von einem auf Fakten beruhenden Plot und habe ihn mit Fiktion ergänzt; ich habe die Gefühle, die diese Ungerechtigkeit bei mir hervorgerufen hat, erzählerisch angeordnet.

Finden sich in Conxa, der Heldin von Wie ein Stein im Geröll, *Charakterzüge von Ihnen selbst, von Ihrer Mutter oder Ihrer Großmutter?*

Die Figur der Conxa trägt Züge meiner Großmutter.

Hat Sie die große und sehr positive Resonanz auf Ihren Roman in Deutschland überrascht?

Ja, das hat mich sehr überrascht. Ich dachte, der Zuspruch der Leser in meiner Heimat ginge auf Erfahrungen zurück, die wir miteinander teilen. Aber ich habe gelernt, daß wir Menschen uns sehr ähneln, wir teilen den gleichen Schmerz und die gleiche Freude.

2007 haben Sie eine ausgedehnte Lesereise unternommen, um die deutsche Hardcover-Ausgabe vorzustellen. Wie war die Begegnung mit den deutschen Lesern?

Die Lesereise durch Deutschland war für mich sehr interessant. Die Aufmerksamkeit der Zuhörer, ja ihre zurückhaltende Anteilnahme waren das größte Geschenk. Das Interesse für die katalanische Sprache und Literatur war für mich eine gute Gelegenheit, ihnen ein bißchen Sichtbarkeit zu verleihen.

Gab es einen deutlichen Unterschied zwischen dem Zugang deutscher Leser zu Ihrem Roman und dem der Leser in anderen Ländern?

Die deutschen Leser sind den mir bereits bekannten Lesern ähnlich, doch viele haben ein besonderes Interesse an den Wunden der Geschichte und an der Fähigkeit der Menschen, sie zu verarbeiten.

Arbeiten Sie an einem neuen Roman?

Ja, ich habe soeben einen neuen Roman, *Emma*, beendet.

Wie beginnen Sie die Arbeit an einem neuen Werk? Beginnen Sie mit einer ausführlichen Übersicht oder einer Auflistung der Figuren oder etwas ähnlichem?

Am Beginn eines Romans kann für mich der Anstoß durch eine Nachricht, eine Person oder eine Idee stehen. Darauf folgt gedankliche, manchmal unbewußte Beschäftigung damit. Später ein Schema oder die Zusammenfassung einer möglichen Handlung oder die Beschreibung einer Figur. Oder alles zusammen. Dokumentation. Wahl der Erzählperspektive. Beginn der Niederschrift.

Was fällt Ihnen schwerer zu schreiben, die erste oder die letzte Zeile eines Romans?

Für mich ist die letzte Zeile schwieriger als die erste.

KLEINES GLOSSAR

Conxa   Der Name Conxa wird in etwa wie »Cónt-scha« ausgesprochen.

Die Schale mit Basilikum   Beim Patronatsfest oder anderen besonderen Festen war es in den Tälern der katalanischen Pyrenäen Brauch, daß die jungen, unverheirateten Männer und Frauen – sowohl nach der Messe als auch während der Mahlzeiten in den Häusern selbst – Schalen mit Basilikumzweigen und Stücken von *coca*, einem aus Eiern, Milch, Mehl und Zucker hergestellten großen, flachen Kuchen, herumreichten. Als Gegenleistung wurde dafür eine kleine Spende für die Kirche erwartet.

Der Brief auf Seite 99 f.   ist im Originaltext in spanischer Sprache verfaßt. Katalanisch wurde an den öffentlichen Schulen erst während der Republik unterrichtet, so daß die Mehrheit der katalanischen

Bevölkerung damals – wenn überhaupt – nur Spanisch/Kastilisch schreiben konnte.

Esquerra Republicana   Im Februar 1931 schlossen sich verschiedene Gruppierungen zur linksnationalistischen *Esquerra Republicana de Catalunya* (»Republikanische Linke Kataloniens«) zusammen, die die Gemeindewahlen im April desselben Jahres für sich entscheiden konnte. Zwei Tage nach den Wahlen erfolgte in Barcelona die Proklamation der Katalanischen Republik, auf die allerdings nach Verhandlungen mit der vorläufigen Zentralregierung in Madrid zugunsten einer nationalen, autonomen Regierung innerhalb der Spanischen Republik verzichtet wurde.

Generalitat   Mit dem historischen, bis ins Mittelalter zurückreichenden Namen *Generalitat de Catalunya* wird an die Tradition der wichtigsten katalanischen Regierungsinstitutionen angeknüpft, die bis 1714 Bestand hatten und als Symbol und Garant katalanischer Eigenständigkeit galten.

Jaume   Der Name Jaume wird in etwa wie »Dscháume« ausgesprochen.

Mateu   Der Name Mateu klingt im Katalanischen ähnlich wie der Imperativ des Verbs »matar« (töten), also in etwa wie »tötet [ihn]«.

Militärputsch in Afrika   Der Militärputsch gegen die demokratisch gewählte Republik begann am 17. Juli 1936 im damaligen spanischen Protektorat Marokko und erreichte am nächsten Tag die Halbinsel.

porró   Ein bauchiges oder kegelförmiges Trinkgefäß aus Glas, das mit einer langen Tülle versehen ist, aus der man den Wein direkt in den Mund fließen läßt.

DER NEUE, GROSSE ROMAN VON MARIA BARBAL

Maria Barbal

INNERES LAND

Roman : TRANSIT

»Selten hat die Literatur eine so verzweifelte Erkundung
nach der Mutter, eine so eindringliche Liebesbekundung
an die Mutter zu erzählen vermocht.« Pere Joan Tous

Übersetzt von Heike Nottebaum
Nachwort von Pere Joan Tous
400 Seiten
Gebunden mit Schutzumschlag

: TRANSIT

BERTINA HENRICHS

Die Schachspielerin

»Eine zarte Geschichte über den Zufall und den Mut zur Veränderung.« *Freundin*

Das Zimmermädchen Eleni stößt eines Morgens beim Aufräumen eine Schachfigur um – und plötzlich ist nichts mehr, wie es war. Sie kann das geheimnisvolle Spiel der Könige einfach nicht vergessen. Als Eleni ein Trick einfällt, um das Schachspielen zu lernen, beginnt für sie ein Abenteuer mit unabsehbaren Folgen. *Die Schachspielerin* stand ein halbes Jahr lang auf der *Spiegel*-Bestsellerliste.

978-3-453-35172-1
www.diana-verlag.de